変革

IT業界に革命を起こすボールドの秘密

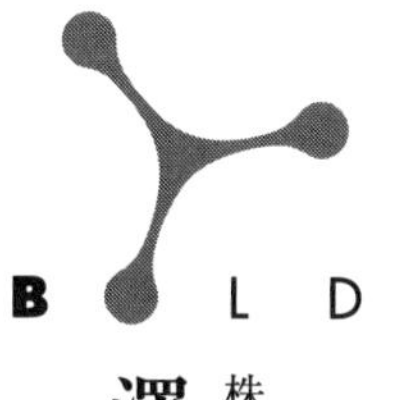

澤田 敏
株式会社ボールド 代表取締役

はじめに

現在ＩＴ業界は盛況で、エンジニアは引く手あまたの状態です。深刻とまでは言いませんが、どこの企業も人手が足りておらず人材の確保に四苦八苦しています。

そのような状況で、私が経営する株式会社ボールドは急速に社員数を増やしており、この7年間で82名から５５０名に増加。毎月10名以上の中途採用を続け、２０２０年３月にはなんと月間20名もの採用ができるようになりました。同業他社の人たちからは「どうやってそれだけの人数を採用できているのか？」と驚かれることが多々あります。

なぜそれだけの人がボールドに魅力を感じてくれているのでしょう。それは当社独自の「評価制度」にあります。あとで詳しく触れますが、頑張った人を公平に評価する制度を導入しており、それが求職者の皆さんに魅力的に映るのです。実際のところ、「評価制度に関して話が聞きたい」といくつもの取引先から人事担当者が当社を訪れています。そういった方々が口を揃えて語るのが「御社の真似はなかなかできません」ということ。他社では真似できない評価制度が当社にはあるのです。

加えて、やはりこれも他社では真似できない唯一無二のコーチ制度も、当社では相当のエネルギーと時間をかけて構築しています。さらに感動大学、技術勉強会といった社員のスキルアップのための制度も、目標達成の大きな手助けになっています。

これら全ては社員の幸せを願って独自に生み出したものです。幸せになるには、自分ではなく他者から評価されなければならない。そのためには目標を設定してクリアする必要がある。目標とはそもそも期限を設けなければ達成に向けて動き出せるものではありません。そして期限内にその目標を達成するには、人並み以上の努力が必要です。そうして初めて他者に評価され、それがやりがいや待遇に結びつくことで幸せになれる。それを全力で支援するための制度に求職者のみなさんが魅力を感じているからこそ、社員数の急増という結果に至っているのだと確信しています。

本書では、私が働く中で気が付いた「期限付きの目標」の重要性と、社員一人ひとりが目標を実現するための様々な制度、そしてボールドという会社がどのように急成長してきたかを紹介します。とりわけ「期限付きの目標」は重要です。このことに気付き実践していただくことで、一人でも多くの読者が仕事や私生活で多くの評価を得て幸せになることを願ってやみません。

２０２１年５月

株式会社ボールド

代表取締役　澤田　敏

幸せになるためには、評価されて報酬がアップし、チャンスを掴むことが必要。評価されるためには期限付きの目標を達成しなければならない。達成のためには人間力と技術力をアップしていかなければならない――これが幸せの方程式だ。

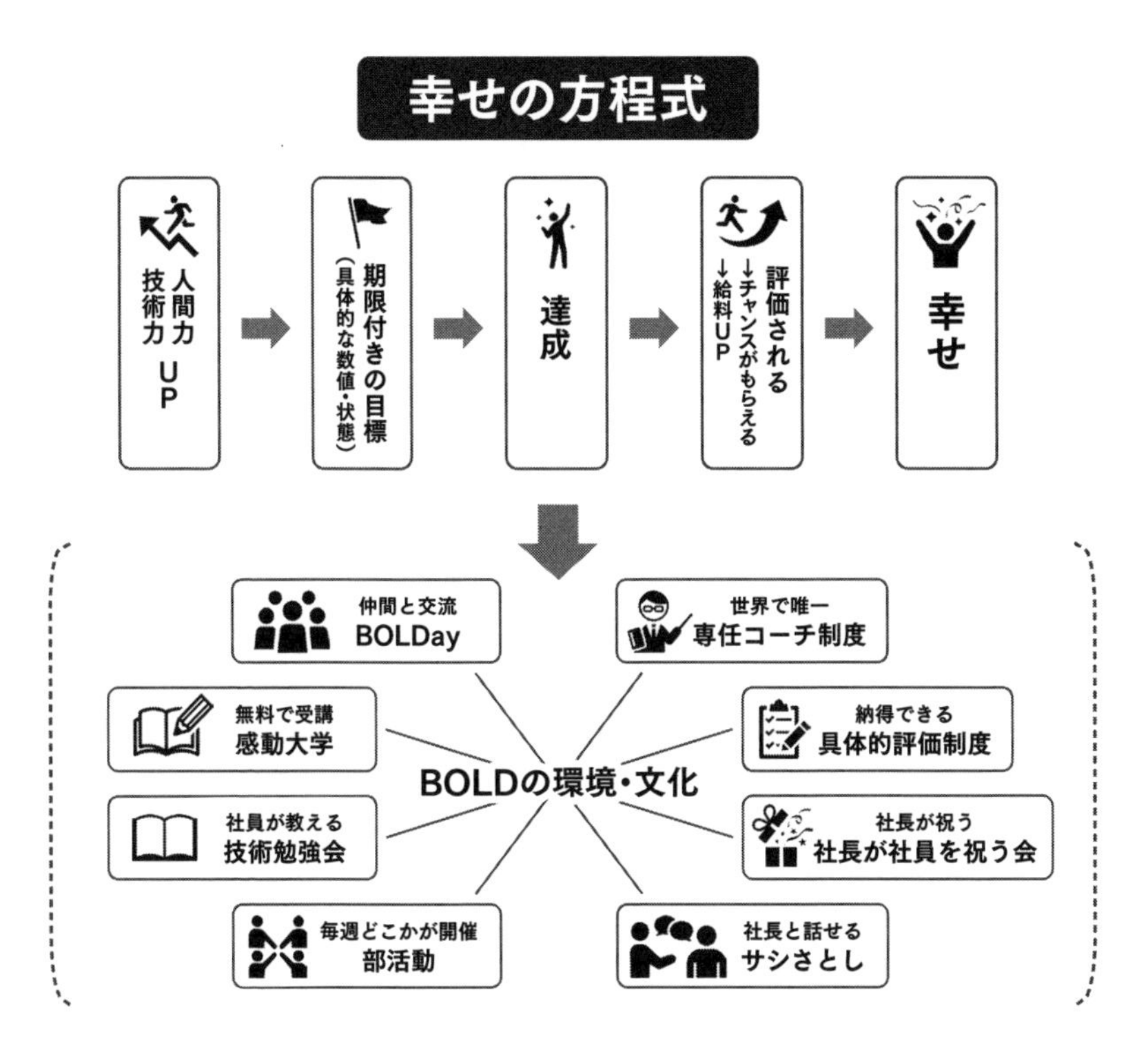

ボールドでは人間力と技術力をアップさせるための制度として感動大学、技術勉強会が設けられており、期限付きの目標を達成させるためのコーチ制度も設置されている。そして具体的な評価制度を設けることによって、社員を正当に評価している。さらに、帰属意識向上のため月1回全社員で集まる「BOLDay」や、社長と近い距離で話すことができる「サシさとし」など、様々なイベントが用意されている。

目次

第4章　世界唯一のコーチ制度――133

第1章

幸せを求めた私が辿り着いた3つの考え

幸せになるには人間力と技術力を上げていくしかない

誰にも共通する思い、それは「幸せになりたい」ということではないでしょうか？

もちろん「幸せ」の形は人それぞれです。「過度の幸せは望まない。平凡な生活でかまわない」という人もいるでしょうが、幸せになれるチャンスがあるのに、みすみすそれを見逃す人はいないでしょう。

なぜ「平凡でいい」などと言う人がいるのか……それは受験、スポーツ、音楽などこれまでの生活で「自分はこんなもんだろう」と自分自身にレッテルを貼ってしまっている人が多いからではないでしょうか。

ではどうしたら幸せになれるのか？　結論を先に言ってしまえば、

「人間力と技術力を上げる」

これに尽きます。人間力と技術力が上がれば、給料は上がるしチャンスも貰える。

人間力とは社会人としての常識、コミュニケーション能力など。技術力というのは仕事をやるにあたって必要とされる知識やスキルなど。この2つが両輪となります。

どれほど人柄が良くても仕事ができない人は、当然給料は上がりません。逆に仕事はバリバリできるけれども人間性に問題のある人は、ある程度は給料が上がるでしょうが他人をマネジメントできないのでいずれ頭打ちになります。人間性に問題のある人についていこうとは誰も思いませんし、経営陣はそのような人にマネジメントを任せるわけにはいかないのです。つまり、評価されない。もしそんな人にマネジメントを任せる会社があるとすれば、経営陣によほど見る目がないか人材不足なのでしょう。

社会人には人間力が不可欠

技術力と人間力……これはどの職業にも言えることです。しかし学生の間は人間力が低くてもどうにか過ごすことはできます。例えば東大生。東大に合格しているというだけで「すごい」と評価されますよね？　日本の最難関大学に通っているわけですから、それだけでブランドとして通用します。試験の際に「あなたは人間力がないから不合格です」ということにはなりません。これはスポーツでも一緒です。短距離走で1位になったのに「あなたは人間力が足りないから1位は取り消しです」とはなりません。もちろん人間力がある学生は人間力がない学生よりも高く評価されるケースは多いでしょう。しかし人間力がなくても、技術力があればトップに登りつめることができます。

しかし社会人になったら、「優秀な人」というのが、学生の頃とは意味合いが変わります。人間力がないと優秀とは評価されないのです。いくら技術力があっても人間力がない人は他人からの評価が得られません。技術力と人間力を兼ね備えることで、初めて「あの人は優秀だ」「あの人は仕事ができる」という評価になるのです。人間力がない人はいちプレイヤーで終わり、マネジャーになれない。

皆さんもご存知でしょうが、名選手が必ずしも名監督というわけではありません。現役時代に輝かしい成績を残した人が、監督としては芳しくない成績に終わってしまうことがあります。逆に、現役時代にはあまり実績を残せなかったにもかかわらず、名監督として評価される人もいます。つまりプレイヤーとしての実力とマネジャーとしての力量は必ずしも比例しないということです。マネジャーとして成功するには、名選手といえどもマネジメントの勉強をする必要があるのです。人間力の研鑽、その延長線上にマネジメントの勉強があります。そしてマネジメントができない人は、ビジネスでは出世できません。出世できないということは、他人から評価されていないということです。

期限付きの目標が人生の全て

社会人である以上人間力と技術力の向上は必須として、もう1つ見落としてはいけないことがあります。それは「期限付きの目標を設定して人並み以上に努力する」ということです。

例えば「3年後に年収1000万円を稼ぐ」とか「半年後に営業成績全国1位を獲

る」といった、ハッキリとした期限と目標（数値や状態として他人が判断できるもの）を設定しなければなりません。「他人が判断できるもの」と書いたのは、評価は他人からされることで意味を成すからですが、これについては後述したいと思います。

期限付きの目標を持たないと人生は成功しません。そもそも目標は達成すべきものであり、そこには自ずと期限が設定されなければなりません（本書ではあえて「期限付きの目標」と呼んでいますが）。

期限を設定することで、その期限から逆算してやるべきことが決まってきます。「半年後にこうなりたいから、3カ月後にはこうなっていないといけない。そのためには1カ月後にはこうならないといけない。では1週間後にはこう。だから毎日これだけのことをやらないといけない」とやるべきことが具体的に決まってくるのです。この「いつまでに」というマイルストーンがとても大切です。

もちろん、こうしたことは誰もが知っているはず。けれどその重要性に気付いていないせいでしょうか、社会人になってそれを実践する人は極めて少数派なのです。

漠然とした目標は何も生まない

前述したように、目標は具体的でなければなりません。綺麗ごとや掴みどころがないような目標を設定しても意味はありません。一生達成できないような目標にも意味はありません。そうした目標には具体性がないからです。「お金が欲しい」「出世したい」といった漠然とした目標よりも、より明確で具体的な目標がないと何も成し遂げることはできないからです。

こういうことを言う人がいます。

「将来、部長になりたい」

そういう人に、

「いつなるの？」

と訊くと、

「まぁ、そのうちに」

と曖昧に答える。

「3年後にはなります」

というように、具体的な期限が出てこないことが多いのです。

こういう人は部長になれません。何年後、何月何日には部長になる！ と決めることがまず一番です。そしてその期限から逆算することで、毎日のやること、1カ月後にどうなっているべきかということが決まります。

そもそも具体的なゴールや期限が決まらないまま努力を続けられるという人はいないのではないでしょうか？ スケジュールが決まっていないのですから、達成までに何年かかるかわからない、どうなったらゴールかもわからない。そんな、「マイルストーン」のない状態で延々と努力を続けなければならないということです。ゴールの見えないマラソンなど、誰も走りません。

期限があるからこそ「毎日何をすべきか」「どれだけの努力が必要なのか」が決まってきます。それを疎かにしたままでは、「目標達成のどのあたりに自分が今いるのか」「どれだけ進捗あるいは遅れているのか」「どれほどの努力をさらにしなければならないのか」といったことがわかりません。これでは目標の達成など絵に描いた餅です。

面接時に話す期限付きの目標

どんな人でも、面接時に話すと共感を得る内容があります。特に学業やスポーツで良い成績を収めた人ほど、強く共感してくれます。

「学生時代にやってきたことは何のためだったと思いますか？　スポーツや勉強、音楽……これは社会に出るための練習。その全ては期限付きの目標を立てて、それをクリアするためにどういう努力をしていくのかということを練習していたということなんですよ。でも多くの人が自分で期限付きの目標を立てていたわけではありません。では、誰がその目標を立てたかというと、それは教師やコーチなんです」

「期限というのは必ずあります。受験日や部活の大会なんか、全て日程が決まっているでしょう？　日程が決まっているから、その日から逆算して半年前にはどういった練習や勉強をしないといけない。3カ月前には、1カ月前には、1週間前には……どれだけのことをやらないといけない。学生の間はそういった毎日の量や質の目標を教師やコーチに決めてもらってそれをやってきたという人がほとんど。そしてその目標に向かって人並み以上に努力すれば成功する。そうでなければ成功しない。あとはやるかやらないか本人次第。他人から強制されて努力を続けられる人はいないですよね？ ほとんどの人は自分が本気でこうなりたいと思う目標でないと努力はできない」

学歴が高かったりスポーツで一定の成績を残している彼らは、すごく納得します。なぜなら、彼らは期限付きの目標を達成するため、人並み以上に努力してきた経験があるからです。

「これまでは練習だったからいいけど、これからは社会人。つまり本番を迎えることになります。ところが社会人で期限付きの目標が具体的に決まっている人は、どれくらい周りにいますか？ 1年後にこれだけの給料がほしいから、逆算してこういうことをやっていこうとか。3年後にマネジャーになりたいから、逆算してこういう目標を立ててやっているんだとか。そういう人が周りにいますか？ そういうふうに具体的な目標を自分で立てることができる人が実はほとんどいないんです。会社に入れば上司や先輩……あなたたちを指導してくれる人はいます。でも彼らが教えてくれるのは仕事における考え方や、やり方。半年後、1年後にあなたがどうなりたいかという目標を決めてくれるわけではありません。あなたの人生ですから、他人である上司や先輩があなたの人生設計や目標を決めるわけではありません。当人の人生設計を他人が決めることはできません」

「自分の人生なのだから、期限付きの目標は自分で決めないといけない。努力するのも自分。人生に責任を持てるのは、他の誰でもない当人なのですから」

　こういったことを面接で伝えていると、中途採用に応募してきた人……特に高学歴なのに、出世できないまま会社を転々としている人たちは俯いてしまいます。高学歴の人は学生時代に人並み以上の努力をしています。それなのに、社会人になったら期限付きの目標を立てていないがために、特に努力をすることもないままの人生だったわけです。勉強でも何でも人並み以上に努力をしてきた人が、「あれだけ頑張って勉強して良い大学に行ったのに、今は人並み以上の努力をしていないな」と思い当たる節があるのです。

「もっと早くこういう話を聞いておきたかった」

と言う方が大勢います。

ボールドで徹底しているのは、「期限付きの目標が人生の全て」だということ。期限付きの目標がない人生を送る人は、何に向かって生きているのでしょうか。そういう人は「なりたい自分」になれるのでしょうか。何にも向かってない人生、なりたいものがない人生、そんな人生を送りたいと願う人はいるのでしょうか。そもそも、そういう人は幸せになれるのでしょうか。私は社員全員に幸せになってほしい。だからこそ、当社では誰もが期限付きの目標を立てるようにしているのです。

立てた目標以上の努力とアイデアは出てこない

期限付きの目標を立てた場合、立てた目標以上の努力、アイデアは出てこないということにも注意が必要です。

例えば東大合格を目標とするならば、それに見合った努力をしないといけません。よほどの天才でもない限り猛勉強が必要です。しかし偏差値50くらいの大学に行きたいと思っている人が、東大に合格するレベルの勉強をすることはないでしょう。

あるいは高校野球の地区予選で一回戦は突破したけれど二回戦で敗退したチームの多くは、「一回戦突破」を目標に掲げていたから二回戦は勝てなかったのだと思います。目標が一回戦突破なのだから、二回戦に勝つ努力やアイデアは出てこないし、それに準じた練習スケジュールを考えることもないからです。ましてやそういうチームが地区大会で優勝することはありえないのです。

こういう話を面接ですると、何かしらの努力をしてきた人であれば必ず納得してくれます。

「自分がなりたいと思う目標を真剣に考え、それを実現するために実行すべき行動を具体的に細かく設定し、人並み以上に努力しないと達成できない」ということです。

期限付きの目標が大切と気付いたきっかけ

これまで期限付きの目標が大切だということには幾度も触れてきましたが、この本を手にしている人の中にはこう考える人がいるのではないでしょうか。

「そうは言っても、この澤田という人間は社長にまでなっているのだから、元々自分たちとはデキが違うのだろう。成功したから好きに言えるのではないか？」

それは違います。なぜなら私自身、学生時代はとても優秀な人間というわけではなかったからです。しかし期限付きの目標が大切なのだと気付いたことで、人生がステップアップしました。この本を読んでいる皆さんと私の違い。それは期限付きの目標が大切だということを知って実践しているか、していないか。それだけなのです。

私が期限付きの目標の大切さに気付いたのは、会社員として求人の広告営業をしていた頃のことでした。当時、自分が営業に向いているという自覚はなかったのですが、いろいろな人から、

「澤田君は営業に向いているよ」

と言われていました。けれど、私自身はピンと来ていなかったのです。

それに私は大学を出ていないので、大卒の人たちのほうが優秀で仕事ができると思っていました。当時はバブル全盛期。それこそ学歴が全てでした。大学を出ていて当たり前という感じで、私は専門学校卒だというだけで見向きもされないような状態。ですから私は「きっと大卒の人たちは何でもできるんだろうな」と考えていました。

しかし、その何でもできるはずの人たちがお客様にすごく怒られている。それもお客様からすると、怒って当然というような、どうしようもなく失礼なことをやっていたりする。他にもまったく気が利かなかったり、お客様に本気で喜んでもらえる努力をしていなかったり、成果に貪欲ではないなと感じていました。そこで「学歴では彼

らのほうが優れているけれども、気を利かせて喜んでもらえたり、結果を出すために諦めなかったり、どうすれば喜んでもらえるか時間をかけて考えていた自分のほうが、仕事では優れているのではないか？」と思うようになりました。

そのときに勤めていた会社は、社員の奮起を促すために、ボーナスだけは手渡しにしていました。常に優秀な成績を収める先輩がいたのですが、彼のボーナスは入れられた袋が立つのです。それを見た他の社員を「よし、自分だって」という気持ちにさせる狙いがあったのでしょう。

私に関して言うと、最初の頃売り上げはそこそこでした。「そもそもトップを目指していなかったから、トップの成績を獲れなかったのだ」ということに後々気付くのですが……。

営業成績は売上額ではなく達成率で競っており、ある新人女性が優秀な成績を収めていました。その会社では私が少しだけ先輩でしたが、彼女と私は高校の同級生だったので感覚的には同期です。そういう人間がトップを獲るのですから、少し悔しい思いがありました。

何回もトップを獲る彼女は、2位以下に甘んじたときには人目を憚らず悔し泣きしていました。「子供じゃあるまいし、会社で泣くなよ」と半ば呆れて見ていたのですが……。一方で、「これほど負けず嫌いな人間はなかなかいないな」と認めざるを得ない部分もありました。何より結果を残しているわけですし。

そこで考えました。「確実に自分が彼女に負けているものは何だろう?」と。

思い当たるのは根性と執着心。自画自讃になるかもしれませんが、どう考えても私のほうがお客様に対してのアプローチは上手い。営業トークで自分の存在をお客様に深く印象付けるということに関しては、私のほうが優れているのは間違いありませんでした。

もちろんトップの常連ですから、彼女も営業トークが下手というわけではありません。しかし、何よりも努力量で何とかするタイプだったのです。とにかく足で稼ぐタイプ。「彼女に勝ちたい!」と切実に思うようになった私は、必死で考えました。結論は、「彼女以上に努力するしかないだろう」というシンプルなものでした。

そこからはもう無我夢中です。徐々にお客様が増えてきて、トップ獲得が現実味を帯びてきます。そうすると「絶対にトップを獲るぞ」という強い思いが生まれました。

彼女に勝つためには？　というのを考えながら、どこでどれだけの売り上げを上げれば勝てるのか？　そのためにはどうしたらいいのか？　そういったことを紙に書き出していました。

「この会社ではこういう提案をしよう」「こういう時期だから、こういったトークのほうがいいのではないか」というようなアイデアが次々に頭に浮かんできました。考えていくと、どうしても既存のお客様だけでは売り上げが足りない。足りない分は新規顧客を開拓するしかありません。

四半期という区切りがありましたから、自然と期限付きの目標になります。「何月何日までにいくらを売り上げないといけない。そこから逆算して、どこでいくらの売り上げで足りない分をどうフォローするか」という話です。ところが、その期限付きの目標という観点で見ている営業マンは少ない。もちろん世の中で成績が良い営業マンのほとんどは、期限付きの目標を立てて計画を練っているとは思いますが……。

そういった期限付きの目標に基づいて売り上げの計画を立てていくと、「これだけ何もかもが上手くいくわけないよな」「最高に上手くいったとしても、ここまでしか売れないだろう」という現実的な予測もできるようになります。そこからもっと細分化して考えて、「このお客様だったらもっと違う提案したらもう少し売り上げを伸ばせるかもしれない。提案を変えてみるか」という感じで、それぞれの案件ごとにパズルを組み立てるように考えるようになりました。

そして「大体、いつ頃までにこれだけの売り上げにしておかないと、後半に追い込みをかけても目標額達成は厳しいだろう」と全体スケジュールを組む。そうすると自然に毎日のやることが決まってきます。

電話営業と紹介で新規顧客を次々と獲得

では、新規顧客はどう開拓するか？ 1日100社飛び込み営業をやるとすると、既存のお客様のところへ行く時間が取れない。飛び込んだ先でたまたま大きな案件に繋がることはあるかもしれませんが、そういう一本釣り的な手法では恐らく彼女に勝てないだろうと感じました。それならば仲良くなった既存のお客様に紹介してもらうほうが、より確実なのではないかという考えに至りました。

もちろん紹介してもらうためにはお客様を訪ねていくのが基本だと思いますが、私は営業スタイルが他の社員とは違いました。直接訪問もする一方で、電話での営業が多かったのです。仲が良いお客様だと、仕事の話ではなく世間話をずっとしていたり。先方からすると「この人はなぜ関係ない話をしているのだろう？」と思われていたかもしれませんが（笑）。

そうしたある日、お客様から、

「澤田君、この間うちに来たのはいつだっけ？」

と訊かれました。

「1カ月ほど前ですね」

「そうやったっけ？　君は毎週来てると錯覚してまうねん」

この言葉で気付きました。直接行くのも大切だけれども、印象付ける話をすることが本質的には重要なことなのだと。

　そこから印象深い話をすることを心掛けて、半分冗談みたいな感じで、

「今回、どなたかをご紹介いただけなかったら、これまで御社にしていたサービスができなくなるんです」

　と話したりして、当然相手は、

「え？ 何を言ってるの？」

　と訝ります。

「そうやなぁ、1社……いや2社紹介してもらえれば、今まで通りできるんですけどね……」

　半分冗談なので、先方も、

「お前、どこまで本気で言うてんねん」

　と笑ったりするのですが、

「いや、実は今、横に上司がいるので冗談ぽく話してますが……いや、ホンマなんですよ」

と声を潜めて話してみたり。

言うまでもありませんが、こういう「手法」は相手との信頼関係ができているから許されることです。仲良くもない相手にそういう話をしたら、ただの失礼な人間ですから。でも、重要なことはお客様に「澤田＝紹介」と覚えてもらうことなのです。そのおかげでたくさんのお客様を紹介してもらえて、私は新規開拓件数でずっとトップを確保できるようになりました。

もちろん、数字のことは常に考えていました。あといくら売ればいいのかということを考えながら、いつも電卓を叩いているような感じで。期限付きの目標を達成するための確認作業のようなものです。

周囲を見ると、誰も電卓を触っていない。たとえ数字を把握しているとしても、あえて紙に書き出して電卓を叩いて。達成率１８０％くらいがトップ争いの剣が峰でしたから、達成率２５０〜３００％くらいで計画を立てて、そこから少しずつ篩（ふるい）にかけて現実的な数字に落とし込むような形で進めていました。

価値観を疑い、常識外の行動に打って出る

そうやって鎬（しのぎ）を削っているときに、高校時代に私がアルバイトとして働いていた会社を訪問しました。営業を始めたばかりの頃に注文を頂いた広告で良い人材が来たこともあり、ずっと関係があったお客様です。

「この会社で受注することだけに集中しよう」と考えて訪問したわけです。

そこまでにも四半期の期間中に何度か社長に話をしていたのですが、その度に、

「今は必要ない」

「そこを何とかお願いします」

「そこを何とかと言われても、人の募集やねんから、今いらんて言うてるやん」

ということで、断られ続けていました。

訪問したのは四半期の最終日。同期の彼女に僅差で負けている状況でした。朝一番にその会社を訪れ、

「社長、ちょっと見てもらいたいもんがあるんですよ」

と営業の社員に毎日配られる成績の順位表を見せました。

「ほう、今、2位やんけ。頑張ってんな」

と言うので、

「1位の人間とは僅差です。社長のところで注文を出してくれたら、逆転じゃないですか。ホンマに今ここで注文をもらったら、次回注文時に絶対サービスしますんで、お願いします」

と懇願しました。しかし、

「いらんて。なんでお前が1位獲るために、金払わなあかんねん。そもそも今、人はいらんねん。人は足りてます」

と、またもや断られました。

「足りているかどうかじゃないんです。僕が1位になるかどうかなんです」

「ふざけんな、アホ（笑）！」

冗談のようなやり取りをして、横で聞いていた事務員さんも笑っていました。それでも注文が取れないので、ずっと張り付いて……。お昼ご飯もついていったのですが、そこでは仕事の話はしませんでした。「ここでそういう話をしたら、本当に怒るだろうな」というのは察していたので。

そうしてその会社に戻ってからも電話を借りて、他の会社に営業したりしていたのですが（そう、本当にこういうことをやっていました）、もう間もなく売り上げを締め切る時間が来るというときに、

「そろそろ帰れよ」

と言われたので、

「帰りたいんですよ、僕も。注文くれたら帰りますから。頼んますわ」

とお願いして、粘り強く話をしていたら、最後には社長が折れて、

「もう、ほんなら（広告を）出しとけや！」

と注文をくれました。

「ホンマですか！　ありがとうございます！」

「その代わりお前、絶対その広告には〝人はいりません〟と書けよ！」

と言われて。人材募集の広告なのに（笑）。

実は、その会社が人材を欲していることは知っていました。社長が「人はいらない」と言っていても、良い人材はいつも欲しいものです。セールスへの断り文句として使っていたのです。実際のところ、後日とても良い人材を採用できたと感謝の言葉を頂戴しました。

注文を頂いた私はすぐに会社へ報告の電話を入れました。その会社では受注すると、事務の女性が「受注報告です。〇さん、A社から△万円入りました」と全員に伝えるのですが、私の受注報告で同期の彼女が叫んでいるのが電話口から聞こえました。夕日を見ながら達成感に包まれて、電車に乗って帰社したのを今も鮮やかに覚えています。

これは、結局粘り勝ちしたという話なのですが、それだけではありません。期限から逆算して「ここでの注文は落とせない」というところを集中して取りに行った成功例であり、「自分の価値観を疑うことも必要だ」という具体例だとも思っています。トップを獲るためには、ときには自分の常識では考えられないようなこともやらないといけません。この社長とのやり取りも、人によっては「いくら仲が良いと言っても、よくそういうやり方で注文が取れるな。自分だったら、とてもじゃないができない」と感じるでしょう。でもそれだけの執念と、なにより顧客にとって良い結果になるという信念があったから、私は1位になった。それとその社長が最後に注文をくれたのは、私がそこまでして結果を出そうとする執念を認めてくれたからです。自分の常識外の行動が必要とされる局面もあるのです。

「常識的に考えてそうでしょう?」と言う人がいます。しかし、やってみないとわからないことも多いのです。「どうせこうだろうな」という思い込みを捨てることで成果を得られる、自分の成長に繋がることがあるのです。

向き不向きなんてない

皆さんが仕事を選ぶ際に「自分にはどういった仕事が向いているのだろう?」と考

えたことが一度はあるでしょう。

勉強できる人、足が速い人、絵が上手く描ける人……それぞれ得意なことがあります。そういった人たちは周囲から、

「また、テストで100点なの？　すごいね」

「足速いね、すごい！」

「めちゃくちゃ絵が上手だね。こんなの誰にも描けないよ」

というふうに評価される。

そういう人が、「いや、私は勉強（あるいは走ることや絵を描くこと）に向いていないんだよね」ということを言うでしょうか？　言うわけがありませんよね。

「向き不向き」というのは思い込みです。人並み以上に努力した人が成果を出したときに「向いてるんじゃないかな？」と思っているのです。

その逆で結果が出なかったときに「自分は向いてないな」と思った経験がある人もいるでしょう。私にもそう思った経験があります。しかしその「向いていない」と判断したこと、それを本当に人並み以上に努力したのでしょうか？　自己判断ではなく

周囲から「あいつすごいな。めちゃくちゃ努力してるな」と言われるくらい努力し続けた人というのは、ほとんどいないのではないでしょうか。

もちろん好き嫌いの問題はありますので、結果が出なくても好きで努力し続けるという人はいます。これは前に触れた「自分がなりたいと思った目標でないと人は努力を続けることが難しい」ということと繋がります。結果がなかなか出なくても、好きだから努力を続けることができるのです。そして周囲の何倍も努力を続けているにも関わらず結果が出なくて「向いてない」という場合には、それはそれで一つの価値だと思います。「あいつ、あそこまでやってるんだ」と周囲に伝わるので、評価の対象になるのです。とはいえ、そこまで努力をした人は多かれ少なかれ何らかの結果が出るはずです。

だから自分の可能性を諦めないでほしいのです。前にも触れましたが、思い込みは捨てましょう。自分の可能性に賭けましょう。自分が「こうなりたい」と真剣に思う姿があって、それに向けて人並み以上の努力をすれば成果は出るはずです。「どうせ自分なんて」と考えるのは本当に勿体ないし、残念なことだと思います。

本気の素直さ

思い込みを捨てると言っても、なかなかすぐにできることではありません。新入社員向けの研修でも、私は前述した「向き不向き」の話をするのですが、その際にもう一つの重要なこととして、

「素直になるのが大事」

ということを伝えています。

なぜ私がこういうことを言うのか？　それは生まれ変わってほしいからです。「今のままではダメだから」「今のままでは嫌だから」というような否定的な意味合いではありません。「今よりももっと良くなる」という前向きな、言い換えれば「成長意欲」です。

成長意欲が低いと、負のスパイラルにハマってしまいます。成長意欲が低いと努力しない。当然、評価はされず給料は上がらず出世もできません。それでは楽しい生活

は送れませんよね。「10年後の給料は今と変わらず」で満足する人はいないでしょうから。成長して評価されることで、幸せを手にできるのだと私は思います。

そして成長するために必要なこと、それこそが素直さ。それも本気の素直さです。本気の素直さとは、どういうことかというと「価値観をゼロにする、価値観をフラットにする」ということです。

人は何か新たな事物・状況に出会ったときに、それまでの価値観で判断をすることが多いものです。これまでに触れてきましたが「どうせこうだろう」とか「向き不向き」というのも、それまでの自分の価値観で判断したものです。それが成長の邪魔になってしまうことが多いのです。「3年後にこうなりたい」と理想の姿を描こうにも「でもなぁ、今までの経験上こうだもんな」と思ってしまう。それではせっかくの可能性に蓋をしてしまうことになります。まずは「やってみなければわからない」というふうに発想を切り替えましょう！

評価は他人が決める

繰り返しますが、自分に対する評価は他人が決めるものです。スポーツにしろ、勉強や仕事にしろ、全部他人の評価によって決まります。

馬鹿な話に聞こえるかもしれませんが、例えば100メートル走ですごく良いタイムを出せる人が、

「私は評価なんかされなくていい」

というのであれば、夜中の3時に公園で孤独に走っていればいい。

「オリンピックで100メートル走の金メダルを獲りたい」

というのは、金メダル獲得がゴールではなく、

「オリンピックで金メダルを獲って評価されたい」

ということではないでしょうか。ここを勘違いしている人が多いのです。

他には、

「私はこういうふうなことができているのだから、これ自体が他人から評価されなくったって別にかまわないんだ」

と、言っている人が世の中にたくさんいます。自分のポリシーか何かで、そういうことを言っているのだと思うのですが、私からすると「そんなわけがないだろう。他者から評価されずしてどうする？」としか思えません。

仕事の話をすると、もっとわかりやすいかもしれません。

「他人から評価されなくても私はやってますから、自分は評価など気にしません」と言ったところで、周りから「すごいな、あの人。頑張っているな。結果を残しているな」と評価されなければ給料は上がりませんし、チャンスももらえません。なぜ他者から評価されないかというと、評価されるだけの具体的な数値や状態がないからです。こういうことを言う人は、単なる自己満足に過ぎないのだと思います。

武器を持て、だから選ばれる

中途採用社員募集で面接に来た人に、前社を辞めた理由を尋ねると、

「○○を任せてもらえなかったからです」

と答える人がほとんどです。

そういう人に、

「あなたは仕事を任せてもらえない不運な環境だったんですね。じゃあ本当は任せてもらえる人物なんですね。任せてもらえるだけの実績など、証拠を見せてください」

と訊いたとしましょう（実際はこういう訊き方はしませんが）。そうすると言葉に詰まってしまいます。その人は評価の対象となる具体的な数値、状態が何も説明できないのです。そういう人には、やはりチャンスは巡ってきません。けれど、そういったものがない人はこれから作ればいいのです。ところが「何を作ったらいいのか」を本気で考えていない人がほとんどというのが、面接を重ねてきた私の実感です。

仕事で評価をされるということは、給料を上げたりチャンスを増やすということに結び付きます。他人から評価されるためには、「そのために何をすればいいか」を逆算していくことが重要です。

その手段の一つが、

「明るく笑顔で誰に対しても挨拶する」

ということ。

簡単ですよね？　でもこれは大きな武器になります。

仕事の現場は人対人です。

「あの人はここにいる10人の中で、一番明るく元気に挨拶してくれる。とても気持ちが良い人だから仕事を頼んでみよう」

ということになるのです。

ただ明るくて元気が良いだけでは、十分でないでしょう。しかし何を頼むにしても、下を向いて元気のない人には頼みたくないものです。明るさ、笑顔、元気の良さ……これらは簡単に手にできる武器なのです。

もちろん武器はそれ一つでは充分ではありません。

・誰よりも仕事が速い
・誰よりも仕事が正確
・誰よりもミスがない
・誰よりも周囲の人に気が遣える
・誰よりも元気よく大きな声で挨拶をする

その他いくつもあります。そういう武器をできるだけたくさん持つことです。例えば皆さんが仕事を誰かに任せたいという場合、武器が3つの人と武器が10個ある人、どちらに仕事を任せたいと思うでしょうか？　武器は多ければ多いほど良いのです。そしてこれらの武器は努力次第で誰もが手にすることができます。

運動神経や美的センス……生まれ持った資質に多少の違いはあるでしょう。とかくその差を絶対的なものだと思い込み「自分にはセンスがないから」「才能がないから」と言い訳をする人がいます。しかし、一般社会人で能力の差というのは微々たるものです。わずかな差しかないのに、「仕事ができる」と評価される人とされない人の違いがどこで生まれるのか？

本気で「成功したい！ 人生を変えたい」と思うかどうかです。どうしたら成功するのか、評価されるのかがわからない人もいることでしょう。

しかし、表面上のことだけを考えずに、「どうしたらいいのか？」「なぜこうなのか？」と真剣に模索すれば、答えが出ないということはありません。本当に成功する人は本気で考えて、人並み以上の努力をしたにすぎません。〝本気〟でやれば必ず道は開けるのです。

前述しましたが、「〇〇を任せてもらえなかったから」という理由で会社を辞める人がいます。しかし武器をたくさん持っている人が仕事を任せてもらえないということがあるでしょうか？ あるはずないのです。武器を手にする努力を怠っていたから仕事を任せてもらえなかった。つまり全ては本人の努力が足りなかったということです。

感動Ｓｈｉｐ

他人から最高に評価されている状態というのはどういうものでしょうか？　最高に評価された状態、それは「感動している」状態です。これは何も仕事に限った話ではありません。仕事で関わる全ての人、家族、仲間、そういった人たちに「あの人、良いよね！」と感動される人。そういう人が最高に評価された人です。そういう人は常にチャンスが貰えます。

だから私はボールドの社員に何かの感動を毎日与えるような人間になってほしいということで、企業理念を「感動Ｓｈｉｐ」としました。その内容は次のようなものです。

感動Ｓｈｉｐ

社員全員が各々の役割や職務において、また社会の一員として、人間力と技術力の向上をもって、遥かに高い水準の成果を出すことで関わる全ての人々（ステークホルダー）に感動を与え続けていこうという理念。

理念に共感した者がひとつの船に乗っているという意味で、感動Ｓｈｉｐとした。

また、ship には leadership、friendship など接尾語として「〜な状態」「〜たる者」という意味もある。感動的な状態を表している。

第2章

求職者を惹きつける評価制度

他社にはないボールドの評価制度

冒頭でも触れましたが、当社は現在エンジニアの数が急激に増えており、他社の採用担当者から「どうしてそこまで人が集まるのか?」と驚かれています。人が増えている理由は、他社では真似のできない唯一無二の評価制度にあると考えています。ボールドほどわかりやすい、誰の目から見ても理に適う評価制度を導入している企業はないと自負しています。

実際のところ、取引のある大手企業の方々からも当社の制度を高く評価してくださっています。そうした企業の人事担当者が詳細を聞きに来ることもあります。でもどの企業もなかなか真似できません。「うちでは無理ですね」という感想を言って帰る方ばかりです。

それでは、どういった評価を当社では取り入れているのかをご紹介します。

目標を形骸化させない

ボールドを起業したときに私が掲げたのは、
「エンジニアが定年まで働ける会社にする」
という理念でした。この経緯については後の章で詳述しますが、「エンジニアが定年まで働けるようにするために何が必要なのか？」を考えた結果、設けたものの一つが独自の評価制度でした。これは現在でも、他社との大きな差別化要因になっています。

まずボールドには目標制度があり、社員自らが半年に一度目標を立てます。これ自体はそれほど珍しいものではないでしょう。人事制度がある程度整っている会社であれば、半期の目標を立てて、それに対する達成率や課題などを提出させるシステムはあるはずです。

ではそういった会社と当社のどこに差があるのか？　それはほとんどの会社ではこのシステムが形骸化しているところにあります。ボールドでは形骸化していません。社員の気持ちをわかっていない会社の場合は形骸化してしまうのです。

その大きな要因として、「具体的に評価されない」ことがあります。目標を達成しても「これとこれを達成できたから、これだけ給料が上がります」というような、ハッキリした評価をする会社はそう多くありません。会社員として働いた経験者ならわかると思いますが、こうした評価制度では自分の評価がどのような基準でされているのかが不透明です。どれだけ頑張っても掴みどころのない抽象的な評価だと「自分のことをきちんと見てくれているのだろうか？」と思うのが普通です。そうしたよくわからない評価で「あなたの給料はこれだけです」と言われても到底納得できない人が多いはずです。

そもそもサラリーマンが高い目標を掲げても、達成できなかったら評価は下がります。だから高い目標を立てるはずもなく、大半は「これくらいでいいかな」というそこそこの目標を立ててしまう。その、「そこそこの目標」を達成していれば上司も何も言いません。

問題はここなのです。「あなたは今回、この目標を達成したから具体的に○点と○点で、給料が○円上がります」というような〝具体性〟がないのです。そうなるとさらに「自分はこれだけ高い目標を絶対にやり遂げる、そのことで成長するんだ！」という高い志を持って目標を立てる人はほとんどいなくなってしまいます。何のための目標・評価制度でしょう。これが形骸化の要因です。

なりたい未来像に対する目標を立てるのは自分です。ですからボールドでは、目標が高くても中くらいでも低くても認めています。そしてとにかく達成すれば必ず評価して、具体的に点数を付けています。必ず、具体的に、点数をつけて評価する――それが大事なのです。

評価は平等・公平

評価制度で大切なのは、平等・公平な評価、恣意的なものが一切入らない、透明性が高く客観的な評価です。会社員時代の私は、目標を達成して全国トップの営業成績を収めたにも関わらず、納得できる評価をしてもらえませんでした。もちろん会社の業績や景気によって、待遇にも影響が出ることは理解していました。しかし結果を出したのにそれが評価されなければ、「会社は少しも自分のことをわかってくれない」という気持ちになってしまいます。だからボールドでは頑張って結果を残した人にはできるだけ適正な評価をしたいと考え、相対評価ではなく絶対評価を導入、誰が見ても納得できる評価制度にしています。この絶対評価がなければ、どこまでいっても形骸化するのです。

読者の中にはこのように考える人がいるのではないでしょうか。

「そうは言っても、極端な話、全員がすごく頑張って結果を残したとしたら、全員を評価して給料を上げるのは無理でしょう？　無制限に昇給できるわけがない。そうすると結果を残したのに給料が上がらない人だっているはずだ」

確かに会社の人件費として使える予算は決まっています。しかし全員が昇給する評価だとしてもボールドは大丈夫です。社員が頑張ったときに正当な評価ができるように会社を運営するのが社長の仕事。全員が昇給という評価の際に人件費を確保しておくのは経営者としての責任ですから。

逆に言えば、本当に全員が昇給するくらい頑張ってくれたとしたら、それだけ会社も成長するわけですから、こんなに良いことはないと思います。

評価されないと頑張れるわけがない

前述しましたが、「具体的に評価する」ことが一番大切です。皆さんの中にも仕事を終えてお客様から感謝の言葉をもらった経験がある人はいるでしょう。そしてその言葉に喜びを感じたこともあると思います。

しかし例えば評価の際に、

「この間まで参画していた現場での仕事、お客様からとても感謝されたそうだね。そのことでこれだけのポイントがついて、これだけ給料が上がるからね」

と、具体的に評価してくれる会社というのは、ほとんどありません。

そうすると「会社は具体的に自分のどの頑張りに対してこの給料を決めているのだろう？　結局やってもやらなくても同じじゃないか」と当人は考えてしまう。前章でも触れましたが、人は評価されないと頑張れません。これは頑張れない人がダメだというわけではありません。評価されないのに頑張れる人はまずいません。頑張れないのが普通なのです。

もし低い目標だったとしても、達成したことに対して具体的に評価されると、それが自信になります。これが成功体験となって、達成したときの喜びを実感できる。それが評価されなかったら、頑張る原動力を失ってしまいます。

成功すると「もしかしたらこういうふうにやればいいのかな？」というふうに理解できますし、達成した喜びも味わえます。さらにそこから「このままこういうことをやっていって、将来はこのような道に進みたい」という未来像を描くこともできるのです。

実際に当社の社員で、具体的な評価を励みに高い目標をクリアできるようになった人がたくさんいます。入社するまで目標を立てたことがなかったのに、今では半年ごとに目標を達成して、どんどん昇給している人がたくさんいるのです。

具体的な状態、数値を評価する

どのような小さなことでも評価するとはいえ、明らかに目に見えるもの、具体的な数値や状態でしか評価はできません。なぜなら第1章でも触れたように、評価は他人がするものだからです。ということは、誰の目にも明らかなものでなければなりません。

例えば技術力ということで言えば、資格試験の合格や成果物などが評価の対象になります。それは目に見える状態として評価できるのですから。

人間力に関して言えば、マネジメント能力を向上させるというのもその一つです。他にも感動大学(毎日行なわれているプロの講師による講座。後ほど詳しく触れます)を半年で20回受講したということであれば「自分を向上させようという真面目な人間性を有している」と評価できます。これも「20回」という数値が明確にあるからです。さらに20回受講したことに関してのレポートを提出したら、そのことも評価します。

同じく技術勉強会（毎日行なわれている社員が講師となって他の社員に教える勉強会。後ほど詳しく触れます）も評価します。例えば「○○人に△△という資格を取らせるために、半年間そのスキルに関する技術勉強会をやり続けます」という目標を掲げ、自発的にボランティアで技術勉強会を開催して社員に新たな資格を取らせたとしたら、最高の評価が付きます。

他にも会社を盛り上げるという意味で、後述する部活を頑張っている人も評価します。

「野球部を創り、毎月20人で練習と試合をやります」

毎月20人の社員とコミュニケーションを取る。それを半年間やり続ける。こういった活動も、決して高いわけではないですが評価します。これは部活だから評価が低いということではありません。ただ単に集まって親睦を深めているだけだから、高い評価が付かないということです。

せっかく毎月20人もの社員が集まっているのです。部活終了後は打ち上げに行くことがほとんどですが、その前に1時間でも話し合って「会社に対して自分たちはどういうことができるか」「こういう制度があったら、もっとモチベーションが上がる」といった、会社も社員も成長できるような提案が毎月レポートとして提出されたとしたら最高評価になります。先に触れた技術勉強会の例もそうですが、経営者からすれば会社が向上することに社員が自発的に取り組んでくれたら最高だと思います。

ここがボールドと他社が圧倒的に違うところ、他社では絶対に真似のできないところなのです。普通の会社であれば、社員がボランティアでやっていることを目標として認めていませんし、評価しません。「あなたが勝手にやっていることでしょう？」と言われるだけです。しかしボールドでは会社のため、自分のため、他の社員のために取り組んだことを全部評価します。部活でも何でも、「具体的な数値や状態があれば評価しますよ」ということ。こういう会社が他にあるでしょうか？

5つの目標3つのテーマ

ここまで読んできた方には、期限付きの目標を立てることの重要性がより理解できたと思います。ボールドでは5つの目標を立てますが、次に紹介する項目から3つの

ボールドではこのような項目で、社員を評価しています。他社では見られないような目標があることがおわかりいただけるでしょう。

人事評価制度　～目標設定～

顧客満足＆業績

大項目	目標	目標成果	目標達成度	点数
顧客満足＆業績 目標レベル：高い	顧客先でボールド技術者を増員させる。	顧客先のネットワーク担当としてのパフォーマンスを評価いただき、6月1日より新卒1名の参画を承認いただくことができました。	100%	6点
顧客満足＆業績 目標レベル：普通	VBA（マクロ）で業務の自動化ツールを2つ作成し、効率化を図る。	ExceiVBAで以下2つのツールを作成いたしました。 ①「PRODマッチングツール」（テスト環境と本番環境への更新リソースに差異がないか確認するツール） ②「UAT-UP作業チェックリスト自動生成ツール」（リソース作業に使うチェックリストを自動で編集するツール）	100%	4点

達成したら**具体的**に**点数をつける**ことが大事

目標を立てることになっています。自らこうした目標を立てたことがある人はほとんどいません。そういった人にいきなり「目標を立てなさい」と言ってもできるものではありません。ですから立てるべきテーマを決めているのです。本書の冒頭で触れた「技術力と人間力を上げる」ことがテーマです。

まずそのうちの一つが「顧客満足＆業績」。ボールドでは半期に一度目標を立てる制度ですから、半年間で「自分はお客様に対して何ができるのか」を考え、きちんとした計画を立てて「望んでいる期待値以上の成果」を示し、お客様から最高に評価

人事評価制度 ～目標設定～

自己研鑽

大項目	目標	目標成果	目標達成度	点数
自己研鑽 目標レベル： 非常に高い	プロジェクトマネジメント・プロフェッショナル（PMP）を取得する。	不合格であったが、試験後のレポートを見ると、合格ラインを100とした場合、80%の結果となっている。達成度を80%とする。	80%	6点
自己研鑽 目標レベル： 高い	・オフィシャル勉強会の仕組みづくり 2020年1月向けに資格取得をコミットするオフィシャル勉強会を3件作る。	オフィシャル勉強会の講師MTGを経て、来期カリキュラムが完成。JavaGold、JP1、CCNAなど資格取得をコミットする勉強会ラインアップを完成させたので、本目標は達成となります。	100%	6点

達成したら**具体的**に**点数をつける**ことが大事

していただく必要があります。お客様が望むもの、喜ぶもの。そういう成果を出さないと、半年間やった仕事に意味がないということになります。

次が「自己研鑽」。つまり自分の知識と技術を磨いていくこと。これは当然やらないといけないことです。例えば資格の取得といった結果があれば「今回のこの案件、資格を取って一番頑張っているあの人に任せてみようかな」とチャンスを貰えたりします。同様にマネジメントの勉強をして人間力を磨いている人も「いつも積極的な提案をしてくれるし、後輩の面倒見が良いから次のプロジェクトでは彼をリーダーにし

人事評価制度　～目標設定～

他者に影響を及ぼすこと

大項目	目標	目標成果	目標達成度	点数
他者に影響を及ぼすこと 目標レベル： 普通	バスケ部の活動を活発化するため、部の運営側としてバスケ部の活動をサポートする。	運営活動を通して目標としていた参加人数を達成。	100%	4点
他者に影響を及ぼすこと 目標レベル： 普通	応用情報技術者試験について、自身の失敗談や役に立った勉強法を共有し、他の受験者に役立て	試験日までに月1回ずつ、計4回、社内SNSツールwowtalkに投稿した。	100%	4点

他社では評価されないような目標も
ボールドでは評価します

よう」というふうにチャンスが貰えます。

そして3つ目が「他者へ影響を及ぼすこと」。社員にどのような影響を与えるかということです。一例を挙げると、前述したように技術勉強会の講師を担当して「受講した社員○○人に半年間でこういう資格を取得させます」ということ。自分ではなく周囲の人間に良い影響を与えるような取り組みです。

これも前述しましたが、評価の一例として挙げた部活もそうです。毎月20人の社員と部活でコミュニケーションを図ることで人間関係を円滑にし、社内を盛り上げる一助になるのですから。

自己研鑽、顧客満足&業績、他者への影響——これら3つの領域で立てた目標を達成するには、技術力を向上させるか人間力を上げるしかありません。これしか給料を上げたり、チャンスをもらえたりする手段はないのです。だから技術力、人間力が上がれば必ず評価に反映させます。もちろんチャンスも与えます。このように3つのカテゴリーから5つの目標を立てるのが当社の目標制度です。

手前味噌になるかもしれませんが、社員が幸せになるためにこの目標制度は理に適っていると私は思っています。自分で目標を立てることが大切だからです。受け身の姿勢では給料は上がりません。自分の幸せは自分の手で掴むしかありません。それに最も適しているのが、ボールドの目標制度。そう考えています。

目標5つは多いのか?

目標5つは多いという意見に関しては「何もわかっていないな」というのが私の率

直な感想です。

「目標を3つに減らしてもらえませんか?」

という意見を言う社員もいますが、私はこう答えています。

「では目標を3つにした場合、君はその3つを達成するために頑張れる? 5つ目標がある中で、自分で考えた目標がたとえ低かったとしても達成したら点数をつけて評価すると言ってるんだよ。発想がまったく逆。5つの目標か、多いなぁと考えるのではなく、達成したら評価してくれる目標がなんと5つもあるんだ、チャンスだ! と考えなさい」と。

つまり点数を貰えるチャンスが5回もあるということです。他の会社であれば「この目標では達成しても評価できない」と言われるようなものでも、評価の対象にするのですから。それがどれだけ恵まれたことかを考えてほしいと思っています。仮に達成できなかったとしても進捗具合に応じて評価されるのですから、3つより5つのほうが断然いいに決まっています。

ちなみにボールドの評価では「S」がトップランクの評価です。もちろん、「これを達成すればSになる」という基準を明確にしています。

自分でキャリアプランを考える

ボールドでは社員をサポートするために、コーチ制度や感動大学、技術勉強会といった制度を作っています。そういう制度があることで、「会社側からキャリアプランも提示してくれるのだろう」と勘違いする人もいるかもしれません。しかしキャリアプランに関しては、シートに「3年後のありたい姿」というのを記入する部分はあるものの、会社側から示すことはありません。

自分の人生なのだから自分でキャリアプランを考えるのが当然です。誰かがやってくれるものではありません。それに自分で決めたことでないと、一生懸命頑張るのは難しい。他人から決められたことでは頑張れないからです。

もちろんコーチ(社員一人ひとりに専属で付いている専任カウンセラーのような人。

後ほど詳しく触れます）からのアドバイスはありますが、その人のキャリアプランを会社側が型にはめて、

「じゃあ君は、これこれこうだから、こういう風な道で生きていきなさい」

と言ったところで、その通りに事が運ぶものではありません。それには2つ理由があります。

会社がレールを敷いたとしても、やらない人はやらないというのが一つ。

自分の人生なので、自分で考えていかないといけません。それを会社任せにするような人は、結局会社が提示してもその通りにはやりません。何度も繰り返しますが、自分で決めたことでないと人は頑張れません。

自分でキャリアプランを考える人は、目の前のことをクリアしていくことで変わっていきます。これが成長するということではないでしょうか。そうして成長していくことでキャリアプランに変更が生じるというのが、もう一つの理由です。自分が目標をクリアするために研鑽を続けたことで、できることが増える。そういったときに違う方向のものに興味が出てくるということがあります。

例えばサーバーやネットワーク、データベース、セキュリティ……そういった現場で仕事をしていて「このままサーバーの仕事で生きていこう」と考えている人がいたとします。でもある日セキュリティのことに携われるプロジェクトに入ったことで、「セキュリティの方に興味が出てきたので、セキュリティの資格で難易度が高いものをたくさん取ろう。将来はセキュリティの方向に進むんだ」と考えが変わるケースがあるわけです。

だから「キャリアプランは自分で描いていくものだ」ということを強調したいのです。キャリアプランを自発的に考えられる人間、能動的に動ける人間。自分の人生のこと……当社では〝自分ごと〟という言い方をしていますけれど、

「自分の人生だから、自分ごととして全部捉えよ」

という話です。自分の給料、自分のチャンス……そういうことは、他人に描いてもらった人生で広がっていくわけがありません。

言われたことしかできない人が高い評価を得られるわけがありません。では言われたことしかできないのはなぜかというと、「言われたことだけをやろう」と思ってい

るからです。幸せになる人というのは、言われたこと以上のことをやっている。人並み以上に努力するのでキャリアプランを修正するわけです。

私がボールドを創業した頃、「プログラマーは黙って言われた通り作っていればいい」と全員が言われていました。設計書通りのことを……キーパンチャーのように、言われたことをその設計書通りに淡々と入力していくことが求められたのです。そういう世界だから、言われたことしかやらない人間に自ずとなってしまいます。

ですから、いきなり、

「なぜ、自分で能動的に動かないんだ！」

と言われても、当のエンジニアたちは、

「そんなこと今まで求められたことがない。誰からも教えられたこともない。できるわけがないでしょう！」

となります。当然のことだと思います。昨日まで言われた通りにやることを求められていたのに、ある日突然「能動的になれ」と言われて、すぐに変われるわけがないのです。これは能動的になれない人が悪いわけではありません。

私がエンジニアを含む全ての人に伝えたいのは、

「他人が人生を決めてくれるわけではない。自分の人生だから自分で決めるしかない」

ということです。

面接でよく言っています。

「誤解している人がたくさんいるけど、あなたの給料とチャンスのために、社長である僕が頑張ったとしてあなたの給料が上がると思う？ チャンスが貰えるようになると思う？ 僕にできるのは、頑張った社員全員を評価する仕組みを作ること。そういう土壌を作ることだけ。自分が頑張らないと給料は上がらないし、チャンスも貰えないよ。自分のことなんだから」

社長が頑張って会社の業績が向上したから給料が上がる。そういうことではないと伝えています。

私が全力で走らせようとしても、本人にその気がなかったら走るわけがありません。本人がやる気を出して、「自分のために自分が頑張る」ことを理念化したのが、第１章でも紹介した「人間力」「感動Ｓｈｉｐ」です。これも繰り返しになりますが、他者を感動させるほどの仕事こそ、ボールドでの最高評価。そんな仕事を続けていけば、自ずとハイレベルのキャリアを実現できるに違いありません。

第3章

エンジニアを惹きつけるボールドイズム

ボールドが誇る唯一無二の帰社日（ＢＯＬＤａｙ）

会社への帰属意識を高めるためにまず考えたのが、ＢＯＬＤａｙという帰社日の設定です。毎月第３金曜日の20時から22時の時間帯で行なうのですが、よほど仕事が立て込んでいてどうしても帰って来られない人以外は、全員帰社します。現在では５０人以上の社員が参加しています。

帰社日を実施しているＩＴの会社はたくさんありますが、ほとんど帰ってきません。面接のときにＢＯＬＤａｙの話をすると全員渋い顔をします。それは他社で行なわれている帰社日の実情を知っているからです。

帰社日を経験している多くのエンジニアが、帰社日がつまらないと知っています。自分とはまったく関係ない現場の人間が報告をする。関係がない現場だから報告を聞いたところで、何が何やらわからない。その後、何となく飲み会が開催される。でも皆がよくわかりあえる会ではないので、なんとも微妙な雰囲気の飲み会になってしまう。本社の人間が盛り上げ役に回るわけでもない。「早く終わらないかな」「もう帰社日に帰ってきたくないな」と思うのです。

こうなるのは仕方がありません。なぜならば、帰社日を開催する側の人間が本気で取り組んでいないからです。「どうやったら帰社日が盛り上がるか」「出席する人たちに楽しんでもらえるか」といったことに全力を尽くしていない。

私は子供の頃から、人を集めて遊んだり、盛り上げたりすることが得意でした。だから集まる側の心理もわかりますし、集める側が労力をかけて本気でやらないと楽しい集まりにはならないこともわかっていました。帰社日を開催する側が「こんな遅い時間からやるのは面倒だな」と思っているから、つまらない内容になってしまうのです。それでは会社に戻ってきた社員に失礼です。

ボールドでは、自ら楽しむために帰社している人がほとんどを占めています。実際に「帰社日が楽しみ」という社員がこの5年で相当増えてきています。私は、「会社への帰属意識が何よりも大切。それには帰社日が欠かせないんだ」と言い続けてきました。会社に帰ってくることは当たり前、そういった文化を根付

グループワークでは、様々な議題に関して若手もベテランも全員が活発に意見を出し合います。

かせるのだと。

具体的にどういうことをやっているかというと、例えば、ある月は「人間力のあるエンジニアとは、どういうエンジニアか?」という議題で、500人全員が6～8名で班に分かれて、各班で考えたことを模造紙に書いて、

「私たちのチームでは、人間力があるエンジニアはこういう人だと考えました」

「うちのチームはこういう人間だという結論になりました」

と発表する。皆が参加して、皆で考え、それぞれの班でその意見を発表して、全員が白熱した討論をしています。他にも講師

グループごとに出た意見を発表。自分たちのグループとは違った視点からの発表もあり、その場の全員が真剣に聞き入ります。

を招いて「コミュニケーションとは？」という議題でグループワークをやったこともあります。「感動大学（毎日行なわれているプロの講師による講座。後ほど詳しく触れます）でどのような講座があるといいか」ということを全員で考えてもらったこともあります（実際にこの時発表してもらった内容を受けて、感動大学に英語の講座が開設されました）。

　会社を成長させるためには、個々人がそれぞれ成長する必要があります。そのためには個人や会社の成長に資する議題を全員で考えることが必要なのです。そうして全員が少しずつ成長することで会社も成長し

グループワークの他には、表彰や資格試験の合格者の発表などもあります。

ます。「自分たち一人ひとりが、全員が会社なんだ」という意識が芽生えることで、会社に対してのプライドが生まれたり、帰属意識を持てるようになるのです。

毎月こういうことをやっていると、座席をシャッフルしていることもあり、普段あまり接していなかった社員同士でも、共通の話題が見つかることがあります。

「地元が同じだね」

「同じ資格試験を目指しているんだ」

「家、近いね」

といった具合に打ち解けていく。そうやって同じ会社の仲間がたくさん増えていくのです。ワイワイガヤガヤと毎回盛り上

懇親会は、普段会えない社員同士が交流を図るなど、和気藹々と盛り上がる場になっています。

がっています。

さらにその後22時から始まる懇親会の参加は強制ではないのに、今では多くの社員が参加しています。時間が時間なので家が遠い人は帰りますが、400名以上が懇親会に参加しています。終電ギリギリまで帰らない社員も100名ほどいます。

設立当初は懇親会を盛り上げないといけないと思い、私が意識して盛り上げ役になっていました。しかし今では各自が楽しく盛り上がっています。もううるさいくらいに（笑）。

他のIT企業の方が見学に来た際も、皆楽しそうにニコニコしながら勉強会や部活の話で盛り上がっています。まるでライブハウスのような賑わいです。入社したばかりの社員にも自然と誰かが声をかけて、独りぼっちになっている社員はまったくいません。そこまで騒がしくしているものですから、

「本当にこの人たちは全員がエンジニアなのですか？」

と驚いていました。どちらかというとエンジニアは寡黙な人が多いイメージがありますよね。その会社の方々もそういうイメージがあったのでビックリしたとのことでした。とにかくボールドのエンジニアは皆、元気いっぱいで信じられないくらい仲良しです。

もう一つ、仲間意識が強くなる活動として部活とサークルがあります。現在28の部活・サークルがありますが、社員数（550名）からするとかなり多い。毎週どこかの部活が行なわれていて、仕事以外のプライベートでも仲良くなっているのです。

他社では絶対に真似できない全員が喜んで参加する帰社日、休日でも活発に開催されている部活……こうした圧倒的な一体感を作り上げたからこそ、感動大学の講座を受けるために毎日10〜60名が帰社してくる、最高の文化ができ上がったのです。

感動大学では「来週の月曜日はこういう講師が、こういった内容の講座をやる」という情報を社員に告知する際に、参加を表明しているメンバー名を併せて知らせることで、「あの人が参加するならば自分も」と考える社員がいます。「仲間と一緒に成長していこう」「あいつには負けられないぞ」という思いを持つ人間がたくさん増えています。本当に喜ばしいことです。

どこにも真似できない圧倒的なＢＯＬＤａｙを作ったことで、帰属意識・仲間意識が高まり、お互いを支え合い助け合う。こうした一体感こそが、感動大学や技術勉強会のために毎日多くの社員が帰ってくるような文化を醸成したのです。

社員の成長が会社の成長

中途採用者が多いボールド。前の会社に不満を持って辞めるということは「この会社はわかってくれない」「これくらいの人数になったら、どうせ私たちの声を聞いてくれないだろう」「会社に言っても変わってくれないだろう」という気持ちが多かれ少なかれ彼らの中にあるのだと思います。でもボールドは違う。

「君たちが5センチ成長したら会社も5センチ成長する。社長の僕だけが何かをすれば会社が成長するわけじゃない。社長も含め、全員が成長していかなければ会社は成長しない。それに君たちに『勉強しなさい』『人間力を高めなさい』と命令しても、実際にやるのは自分。他人から強制されても頑張ることはできない。だから君たちが自発的に研鑽して成長しないと会社は伸びていかない。それに、いい会社にしていきたかったら『こんなことをやってほしい』『こういう仕組みがあると嬉しい』と意見をバンバン出してほしい。意見を聞くための場も設けているから。全てを実現するのは無理かもしれないけど、今すぐできることもあるよ」

そう伝えても「そうは言っても会社なんてどこも似たようなものでしょう?」と半信半疑の社員もいたと思います。それでも、

「今までの会社の常識で物事を考えてはいけない」

「ボールドは社員の希望を受け入れるんだ」

と言い続け、たくさんの社員の希望を叶えてきたことで、彼らの認識が変わってきています。

顧客に認知されたボールドの取り組み

今ではお客様からも我々の取り組みが認知されています。かつては第3金曜日に当社の社員が荷物を片付けていると、お客様から、

「どうしたの？　今日は何かあるの？」

と訊かれる。

「今日はＢＯＬＤａｙという帰社日なのです」

と当社の社員が答える。

「ＢＯＬＤａｙ？　どういうことをやっているの」

「帰社日で、決められた議題を社員全員が班に分かれてディスカッションして。それ

ぞれの班の意見を発表したり、グループワークをやったりするんですよ」

　そうすると、その会社の人も、

「すごいね。それ本当に全員帰社するの？」

　と、詳しい話を聞かれることがあります。

　またあるときは、荷物を片付けている当社の社員とお客様との間で、

「今日何かあるの？」

「すいません、ちょっと急いでるんです。感動大学に出ないといけないんで」

「感動大学？　なにそれ？」

「プロの講師を迎えた講座で、技術力と人間力を上げるためのカリキュラムがたくさん用意されているんですよ」

　といった会話が交わされます。

　さらにはＢＯＬＤａｙ当日に忙しさにかまけて帰社しない社員がいると、

「何やってるの、早く帰りなよ。今日ＢＯＬＤａｙだろ」

　と叱ってくれたりする。ありがたいことです。

そういう会社は「ウチでもボールドのような取り組みがやりたい」と担当者が思ったとしても、会社の規模が大きいので即導入する動きは取れません。

そうすると、

「感動大学のようなことがやりたいけどできないから、ウチの若手が受講できないか聞いてくれない？」

というリクエストが届きます。お客様が参加するのはかまいません。「お客様に羨ましがられるようなものを作りたい」という思いもありましたから、達成感があります。

ＢＯＬＤａｙでの涙

ある日、新規のお客様から、

「当社もボールドさんのエンジニアのような人材を必要としています。協力体制が取れませんか？」

と提案されて協力してやっていくことになりました。

いざ仕事が始まると現場から、

「ボールドのエンジニアは他社とは全然違う」

という声が上がってきたのです。仕事を終えて勉強会やＢＯＬＤａｙのために帰社している。こんなエンジニアは見たことがない。そういった評価を聞いたその会社の社長から、

「一度ＢＯＬＤａｙに参加させてもらえないだろうか？」

というリクエストが来ました。それで社長や営業の方も含めて、４〜５名でいらっしゃったのですが、そのときのＢＯＬＤａｙはグループワークを行なう日でした。

「これだけの人数が班に分かれて活発にディスカッションをやっているのはすごいですね」

と驚いていました。さらにせっかくＢＯＬＤａｙに参加するのだから、今現場で頑張ってくれている当社の社員に感謝状を贈りたいということを仰って、そのときリーダーのポジションを任されていた社員が代表で感謝状を受け取りました。それまでに

も他の会社から感謝状を頂いたことはあるのですが、社員が揃っている前で直々に渡されるのは初めてのこと。最初は私に感謝状を渡そうとされたのですが、

「私にではなく現場で頑張っている社員に渡してあげてください」

とお伝えして社員に渡してもらいました。それまで「人間力」と掲げて、ＢＯＬＤａｙをはじめとした取り組みをしていたわけですが、それがこの感謝状贈呈に結実したような気がして、不覚にも感極まってしまいました。

私が泣いた姿は、恐らくほとんどの社員が見たことがなかったと思います。社員からすると私はどちらかというと強面だと思われていますので、私が涙を流しているのを見て驚いたことでしょう。その涙に共感する社員がいて、

「社長が男泣きしているのを見て感動しました」

「私も頑張ります」

といったメールが複数届きました。

そういう狙いがあって泣いたわけではありませんが、そのときのＢＯＬＤａｙは本当に良い帰社日になったと思います。

お取引先のひとつ、ベイシス株式会社の方々が参加したBOLDayの様子。
社長自ら、ぜひ参加させてほしいとおっしゃっていただきました。

社員に対して表彰状を送っていただき、私も思わず涙を浮かべました。

感謝状

株式会社ボールド 殿

貴社は弊社が受託するツール開発業務において優秀なる技術力と熱意を以ってプロジェクトの円滑な推進と拡大に大きく貢献されました
よってここにその功績をたたえ深く感謝の意を表します

平成三十年一月十九日
ベイシス株式会社
代表取締役社長 吉村 公孝

その後の懇親会でも当社の社員が大盛り上がりして、30分だけ参加する予定だった先方には、結局最後まで一緒に楽しい時間を過ごしていただきました。ここ最近では一番印象に残っています。

実はそのとき以外にも、ＢＯＬＤａｙ後の懇親会で不意に涙がこみ上げることがあります。社員に気付かれないようにしていますが。すごく皆楽しそうにしている。喋っていない社員が一人もいないのです。昔は各テーブルを盛り上げるために私や本社の人間が回っていかなければならなかった。それが今や皆が笑顔で話をしている。感無量です。

圧倒的参加数を誇る感動大学と技術勉強会

技術力、人間力の向上のために当社が開設しているのが「感動大学」です。一般的な企業であれば、自己研鑽は自分でやるのが当然です。でも自分で研鑽する人はそう多くありません。

そこで当社では勉強を促すために、プロの講師による講座「感動大学」を用意しています。講座を受けるために帰社する交通費も会社が負担しており、社員の金銭的負担は一切ありません

自己研鑽のために自分でお金を使って勉強するためのテキストを購入したり、何かの講座を受けに行ったりする。これが普通だと思います。しかし当社ではそれを全て会社が負担して受けられるようにしているのです。e-learningで勉強できる環境を整えている会社はありますが、当社のように講座を直接受ける形でプロの講師を呼んで毎日開催している会社はほとんどありません。

技術的なこと（システム開発やネットワーク構築など）はもちろんのこと、ビジネススキル（タイムマネジメント、マルチタスクなど）やコミュニケーション（話し方実践、ビジネス敬語など）、マネジメント（PM養成講座、報連相を受ける側の心得など）、メンタルヘルス（感情整理、アンガーマネジメントなど）といった講座もあります。こうした講座が目白押しの感動大学が、毎日開催されているのです。現在の講座数は、年間で200講座ほどに達します。

もう一つ、「技術勉強会」というものもあります。これは立候補した社員が講師になって、他の社員を教育していくスタイルです。「Oracle勉強会」「Java Webアプリ開発勉強会」といった、文字通り技術面に主眼を置いた講座があります。ここで使用されるテキストも会社が購入し、社員に貸し出しています。毎月1回開催しており、時間内に捕捉できなかった部分は補講が開かれます。現在、月間で11の勉強会が開かれています。

感動大学を例にすれば、現在では毎日全ての講座に10～60名もの社員が受講しています。ある意味、異様な世界に見えるかもしれません。毎日これだけの人数の社員が

感動大学のひと幕。ただ講師の話を聴くだけではなく、グループワークなど、積極的に参加する講座も多く開かれています。

コミュニケーションをたくさんとるので、社員同士の距離も縮まります。

業務終了後に帰社して勉強する会社があるでしょうか？　これこそが他社が真似できない、圧倒的なボールドの文化なのです。本当に皆、熱心に勉強してくれています。普通に考えたら、毎日これだけの人数が参加することは考えられません。それだけに参加してくれる社員のことも、そして「勉強することが当たり前」というこうした文化を持っていることも誇りに思っています。

現場から帰社するのは負担になるのではないかという声があります。確かに負担になると思います。スマートフォンやPCで勉強できるe-learningも用意していますが、それは前述したように他社でもやっているところがあります。しかしe-learningを充実させたところで家に帰ってから勉強するかというと、普通はなかなかできないのではないでしょうか。仕事を終えた後、「今から勉強しようかな」とはなりません。早く家に帰ってご飯を食べたい、家族に会いたい、恋人に会いたい、友達と飲みに行きたい……リラックスしたいというのが当然だと思います。仕事を一生懸命やって疲れているわけですから。

しかし前にも述べたように、人並み以上に頑張って技術力と人間力を高めないと給料は上がりませんし、チャンスも貰えません。毎日努力することは欠かせないのです。だから月に一度でもいいから、帰社して自分から勉強しようと思える文化を作りたかったのです。

そしてその文化を支える要因の一つとして仲間の存在があります。

「あいつには負けられない」

「あいつが帰社して感動大学を受講するならば、自分も受けよう」

というふうに思える仲間がいるのも、業務終了後に帰社して勉強することの一助になっています。そういう仲間への思いを生むためには帰属意識が大切です。繰り返しになりますが、それを高める仕組みが本章の冒頭で触れた帰社日＝ＢＯＬＤａｙです。

日	月	火	水	木	金	土
			1 Java Gold勉強会 Oracle勉強会	2 AWS研究会	3 『ひとの心をつかむ心理学』～個性診断を活用したコミュニケーション術～	4
	6 感情整理②～「自己確立（自分探しがやめられない人へ）」～ Linux基本コマンド ①/⑪	7 VBA勉強会 発想力の鍛え方～新しいアイデアを思いつくには～（改訂版） 「他部門の社員」の攻略法、他の部署の人間とはなぜ意見が合わないのか	8 Java基礎勉強会	9 Linux基礎技術勉強会	10 デジタル通信って何？～通信の原理からデジタル通信まで	11
	13 【社会人3年以内対象】社会人としての基本行動 Excel効率化テクニック	14 Welcome新入社員 ※原則20卒新卒のみ対象	15 MSServer勉強会	16 Java Webアプリ開発研究会 JP1勉強会	17 BOLDay	18
	20 Linux基本コマンド ②/⑪ プロジェクトマネジメントの基本	21 感情コントロール　自己理解編～自分の怒りのパターンを知ろう～ 議事録作成によるロジカルシンキング・トレーニング	22 CCNA研究会 信頼されるビジネスパーソンになる	23 仕事と自分の関係性をデザインする～仕事とプライベートの関係性～	24 オンライン上でのファシリテーション講座 主張を裏付けるデータの見つけ方	25
	27 JavaScript入門 ①/⑥	28 Appleの創業者Steve Jobs氏から学ぶ、我々のキャリアの築き方 文章術Part1～読みにくい文章からの脱出～	29 指示・命令の受け方 自分ブランディングを始めよう！	30 Network基礎技術研究会	31 教え上手のティーチング活用術 チームマネジメント	8/1

日	月	火	水	木	金	土
	3 Welcome新入社員 ※原則20卒新卒のみ対象 Linux基本コマンド ③/⑪	4 VBA勉強会 資料の目的から考える資料作成	5 Java Gold勉強会 Oracle勉強会	6 AWS研究会	7 感情整理③～「現実に無関心（現実逃避してしまいやすい人へ）」～ 性格分析エニアグラムPart1～自分の性格タイプを知ろう～	8
	祝日	11 Java 基礎勉強会 文章術Part2～表現方法の迷走からの脱出～	12 テレワーク時代到来！在宅勤務でも生産性を向上させる3つの視点 感情コントロール　職場での応用編～職場での実際・ケース検討～	13 TOEICを活用した英語学習法セミナー 「論理的に話せ」に対応する～本当のロジカルシンキング～	14 なぜか意見の合わない「他部門の社員」の攻略法	15
	17 JavaScript入門 ②/⑥ 見積りとWBS	18 主張を裏付けるデータの見つけ方 コロナ危機でも成長出来るIT企業の中核技術とIT技術者	19 MSServer勉強会 タイプ別コミュニケーション	20 Java Webアプリ開発研究会 Linux基礎技術勉強会 JP1勉強会	21 BOLDay	22
	24 タイムマネジメント Linux基本コマンド ④/⑪	25 仕事と自分の関係性をデザインする～仕事とプライベートの関係性～	26 CCNA研究会	27 Network基礎技術研究会	28 イメージ戦略：イメージ診断を用いて自分の好きなファッションを知る カテゴリー8って何？～イーサネットとLANケーブルの謎	29
	31 JavaScript入門 ③/⑥ 英語アレルギーを取り去るセミナー～効果的な英語学習法～ 自分ブランディングを始めよう！					

感動大学・技術勉強会のスケジュール例。技術的な講座だけでなく、社会人としてのマナーやコミュニケーションの取り方など、その内容は多岐にわたります。

感動大学講師の話

LPI-Japanという協会があります。Linuxサーバーの資格でLinuC -1、LinuC -2、LinuC -3というレベルがある、Linuxサーバーに関しての知識を証明する資格です。インフラ系のエンジニアには必須とも言える資格の一つがLinuCで、日本でその資格試験等を主催しているのがLPI-Japanです。

フィンランド人のリーナス・トーバルズというプログラマーが創ったOSであるLinuxは、世の中に無償で提供されていました。そこからカナダでLPIという非営利団体が作られ、LPI-Japanは日本支部のような役割を果たしていました。

そのLPI-Japanから当社へ連絡が入りました。

「ここ数年、LinuCの受験者数がボールドさんはとても多いのですが、どうしてでしょうか?」

という問い合わせでした。後日、LPI-Japanの会長さんが訪ねて来られたので、感動大学や技術勉強会といった当社の取り組みを紹介しました。そうしたところ、すごく感動していただき共感していただきました。「こういう会社は見たことがない」と相当驚かれたようで、

「こんなに多数の社員が毎日戻ってきて、勉強している会社を見たことがありません。ぜひ一度見学させてもらえませんか？」

と、仰り、実際に見てもらったところ、

「まさにエンジニアとして、人間としてあるべき姿だと非常に共感した。ついては感動大学の1コマをLPI-Japanで担当させてほしい」

と提案されました。とはいえ、こちらも予算には限度がありますので、それとなくそのことを伝えたら、

「無償でかまわないので、毎月やらせてほしい」

と言っていただけました。有り難くも嬉しい提案でした。社員の頑張りが社外の人たちに認められたのですから。そこでBOLDayで、

「ありがとう。君たちの頑張りが認められて、LPI-Japanから感動大学で講座を担当

LPI-Japan からの講師を初めて迎えた感動大学の様子。真剣な眼差しで聞き入る社員たちの熱意、そして参加人数の多さは講師を驚かせました。

させてほしいという話が来ました。来月から開催されます」

と報告しました。

そして迎えた第1回目の開催、平日の20時からのスタートでしたが、それにも関わらず53人もの社員が出席しました。平日(確か水曜日でした)に53人の社員が勉強するために帰社している。LPI-Japan の会長(会長自身が講師としていらしていました)も「信じられない」というような驚愕した表情を浮かべていました。

当初は講師1人（会長1人だけ）の予定でしたが、あまりにも出席者が多いので講師も3人に増員されました。

自分たちが地道に頑張ってきたことを認めてくれる人がいる。こちらから特段アピールしなくても、頑張りを見てくれて評価してくれる人がいる。認めてくれる人たちにも、そこまで頑張っている社員にも感謝しかありません。

感動大学あればこそボールドで働き続ける

先日「サシさとし」(私と社員数名が一杯やりながら膝を突き合わせて話をする機会。詳しくは後述します)が行なわれました。たまたま私と同い年(53歳)のエンジニアがいたので、なぜボールドに入社したのかを尋ねました。

当然のことかもしれませんが、その年齢で入社して来るということは、会社の理念や方針に強く共感を覚えているはずです。彼は、

「私は残りの人生、仕事に関してはボールドに全てを捧げます。私はいろいろと技術的なことを学んできました。そうして最終的には〝いい人〟になりたいのです」

と言いましたが、今一つ意味がわからない。どういう意味かをさらに尋ねたら、「感動大学や技術勉強会を見学した際、こんな講義を毎日受けられるのだったら、絶対に入りたいと思いました」

と言う。またそれと同時に、

「自分のこれまでの経験や知識を、後輩たちを含めて伝えていきたいという気持ちが芽生えた」

とのことでした。彼の言う「いい人」というのは、「他の社員に役立つ知識や経験を授けてくれるいい人」という意味でした。

私としては「やっとこういう人が入社してくれるようになったな」と思いました。そして「この制度があるからボールドの掲げる〝人間力〟にも説得性があるのかな」とも思い、これまでやってきたことが間違っていなかったことを確信しました。

もう一つ彼と話したのは、こんな内容です。

「最近ウチにM&Aの話が来るようになったんだよね。『(会社を)買わないか』『(ボールドを)売ってくれ』という話が来る。この前来た、『ボールドを買いたい』という会社側の担当者に感動大学や技術勉強会のことを説明したら、即座に『無理ですよ。そんな利益にならないことは』って言われてしまったんだよ」

そうすると彼らはすぐに、

「ボールドが他の経営者に売られたら、もう私はすぐ辞めます。今の話で言うと(ボールドを買った会社は感動大学などを)やめてしまうでしょう。社長がいなくなっても続くなら残るかもしれないですけど。感動大学や技術勉強会がないならボールドにいる意味がありません」

と語っていました。

感動大学、技術勉強会……社員が向上するためのこうした制度があればこそのボールドなのだと再認識した次第です。

感動大学の展開

ENGINEER.CLUBというWebサイト、現在は毎月25万PV（ページビュー）と結構な閲覧者がいる当社のオウンド・メディアです。そこで感動大学を宣伝しています。感動大学を受けた社外のエンジニアにアンケートで聞くと、「このままボールドの選考に臨みたい」という人もいます。

「ボールドに入社したい」と求職者が感じるのは、やはり唯一無二の感動大学と技術勉強会があるからです。

社会貢献的なところで言うと、「ボールドのエンジニアだけ育ったらいい」というわけではありません。業界全体が良くなっていくためには、全てのエンジニアが向上していくことが必要だと考えています。ですから社会貢献という視点から、将来的には社員に限らず参加したい人が感動大学に無料で参加できるようにしたいという思いがあります。

実際のところ、お客様から「ウチの社員も感動大学を受けさせてくれないか」とリクエストがあります。それは先述したように、業務終了後に感動大学や技術勉強会を受けるために社員が帰ってくる。「仕事の後に勉強する」という文化をボールドが作り上げているからであり、勉強熱心な社員ばかりだということが知られているからです。

エンジニアがスキルアップすることで、ＩＴ業界全体が伸びれば、それはすばらしいことだと思っています。

唯一無二の技術勉強会の始まり

感動大学を毎日開催するようになったのは２０１６年から。技術勉強会がスタートしたのは２０１３年です。感動大学より先に技術勉強会が始まりました。

当時、某 SIer を60歳で定年退職した人（現在も在籍しています）が、当社の人材募集（顧問募集）に応募してきました。エンジニアとしての経験もある人です。

社員が講師として、他の社員に様々な知識や技術を伝える技術勉強会。馴れ合いな雰囲気は皆無。全員が真剣に取り組んでいます。

わからないことは社員同士で教え合う。全員で協力して技術勉強会をつくりあげています。

技術勉強会

多種多様なラインナップを取り揃えています

Java Gold	Oracle
Java基礎	VBA
JP1	JavaWebアプリ
Linux基礎	Network基礎
MSServer	AWS
	CCNA

計11種

※2021年3月現在

企業の顧問というと、大手にいた人が偉そうにしているというイメージを抱く人がいるかもしれません。当社でもそういう顧問がいましたが、「ちょっと合わないな」と感じていました。

私たちがやっているような仕事は、大手企業を勤めあげた人の鶴の一声で、これまで付き合いがなかった企業と取引が始まるものではありません。

例えば日本を代表する大手電機企業に在籍していた人を顧問に迎えれば、その企業との取引が即始まるわけではありません。中には一声で取引を始められるくらいの人もいるかもしれませんが、本当にごく一握りです。

椅子に収まった顧問ではなく、一緒に汗水流してくれる人を探していたときに、応募してきたのが先に触れた人です。

「まだまだ営業がやりたいのです」

と言っていました。

ノウハウ、技術、経験……定年までに培ってきたものを駆使して新規開拓の営業をしてもらっていましたが、さらに当社と元から付き合いがある企業も担当してもらうことにしました。

頼りにすると、それを意気に感じる人なので、営業マンと一緒に週3日、朝から晩まで働き、朝礼にも参加して「一緒に頑張ろう」という気概を見せてくれました。

その方は素晴らしい知識や経験を持っているのですが、当社に来てから私が言う人間力という部分に感銘を受けたとのことでした。彼はこれまで会社を勤めあげてきた経験から、私が常日頃言っている「技術力と人間力の向上が幸せになる唯一の手段」ということも理解してくれていました。そして「ここまで本気で社員の人間力と技術力の向上に取り組む会社は見たことがない」と感じたそうです。

とはいえ、

「人間力と技術力が我が社の差別化要因」

と言ったところで、そのためには社員を教育しないといけない。

でも当時は会社に金銭的な余裕があまりありませんでした。そこで、

「自分たちの手で勉強会をやりたいんです」

という話をその人にしました。私自身は技術的なことがわからないので、

「一緒にやってもらえませんか」

という話をしました。

「喜んで」

と快諾。そこでどういった形でやるのがいいのかを一緒に考えてもらいました。優れた技術や知識を持っている社員に、他の社員の講師役をやってもらうのがいいだろうという話になり、ある人物が頭に浮かびました。

物事を教えるのがとても上手で、

「ちょっと一回やってもらえないかな」

とお願いしたところ、

「もちろんやります」

と。

ネットワーク系の人間だったのですが、私物の高いルーターを車に乗せて持ってきました。

「あれ？ 車持っていたっけ？」

と訊いたら、

「レンタカーです」

と。もちろん後日会社がお金を支払いましたが、自腹を切ってでもそういうことをやろうとする人でした。それくらい会社が良くなるため、社員が向上するため……そのことを考えて動いてくれる人でした。「周りの人が向上することを考えて行動してくれる、こういう人が講師だったら勉強会はきっと上手くいく」と確信しました。

そうやって最初の勉強会が始まったのです。そこからこの7年間に、

「私も講師をやりたい」

と希望する社員が増えてきて、今の形になりました。現在では11個の技術勉強会が同時進行で毎月開催されています。500人規模の会社で、これほどの数の勉強会をこれほどの頻度で開催しているところは他にはありません。我ながら、常軌を逸しているとすら思えてしまいます。でも、それがボールドの原動力なのです。

社員同士で行なう勉強会というと、和気藹々（わきあいあい）と仲良くやっているイメージを持つ人がいるかもしれません。悪く言えば「仲良しこよし」な、ぬるま湯的な感じでやっているイメージ。しかしボールドの技術勉強会は違います。殺伐としているわけではありませんが、講師役の社員が「必ず資格を取る」「これだけの技術を確実に身に付けてもらう」という明確な目標を立てています。1カ月に1回、つまり半年で6回の開催ですが「とりあえず1回だけ出席すればいいや」というような生半可な気持ちなら参加しなくていい……という雰囲気になっています。どれだけ身に付いたかを確認するためのテストも実施されます。

技術勉強会は技術に注力しており、感動大学は技術だけではなく人間力向上のカリキュラムも入っています。技術的な部分では内容が重複しているところもあります。私自身は勉強会と感動大学の違いは小さなことだと考えています。それよりも「自分たちで学ぼう」と思って自走している、自発的にやっている。それが大切。

感動大学の方は教えてくれる講師がいて、最初は受け身で来ているかもしれない。でも勉強会は各人の自発的なものです。何度も触れてきましたが、自分で決めたことでないと頑張れないのが人間です。だから「勉強してもっと成長するんだ」という各人の姿勢が大切ですし、そういう人は幸せに向かっています。

仕事のタイミングなどで感動大学しか出られなかったら、そちらに出席すればいい。「先輩社員と向き合って本気で半年間やりたい」と思ったら技術勉強会に出ればいい。その他にどうしても会社に戻れない社員には e-learning も用意している。勉強する気になれば必ずできる状況を作っています。逆に言えば、勉強できないことの言い訳ができない。本人が「やるぞ！」と思ったら存分に勉強できる環境があります。

「給料は上がらなくてもいい」「技術も大して向上しなくてもいい」と思うのであれば勉強する必要はないでしょう。そういう人は努力しなくてもいい。しかしそう考えるのであれば、ボールドにいる意味がありません。私は社員全員に幸せになってほしいと本気で考えていますし、そのために会社ができることは何でもやるという考えですから。

社員との交流〜社長が社員を祝う会〜

社員と私が飲む機会として、「社長が社員を祝う会」をやっています。毎月、その月に誕生日を迎える社員を私がお祝いするものです。

1回に20〜40人の社員が参加するため、複数のテーブルが用意されています。時間制で、私が各テーブルを回ります。私のいるテーブル以外では楽しく宴会をやっています。私のいるテーブルでは、全員分のプロフィールが記載された資料を見ながら、「ワンカンバ（ワン・カンバセーション）」を行ないます。Aさんが出した議題について、全員が一人ずつ必ず発言をし、それを全員がちゃんと聞くというものです。

月に一度開催される社長が社員を祝う会。単なるお祝いの場ではなく、ワンカンバ（本文参照）の実施など、これからの仕事に役立つ有用なイベントです。

「何を喋ってもいい。話している人を遮ったり邪魔したりしないで全員が真剣に聞こう」

　ということを徹底しています。そういった他人の邪魔をしない姿勢や気遣いは、仕事にも活かすことができます。

　一般的な懇親会にはお酒が飲めない人もいます。その人も含めて懇親を図るわけです。それが例えばテーブルに8人座っていて、誰も仕切らずにやっていたら最初は皆頑張って全員で盛り上がろうと努力するでしょうが、そのうちにいくつかの塊で話をするようになって、全員で懇親を図るというふうにはなりません。8人でもそうなるわけですから、もっと人数が多い懇親会の場合は、言わずもがなですよね。だから全員で話せる場を作る、それがこの「ワンカンバ」の狙いなのです。

こういったことが何の役に立つかを社員には話しています。

「お客様と飲む、友達と飲む。そういったときにこういうやり方を試してごらん。すごく充実した時間になるよ」

と。1人の話を集中して聞くことで、その人の人となりがわかる。しかも一度に複数の人をある程度深く知る機会になる。

もう一つ、注文を出しています。「空気を読める」「コミュニケーション能力がある」と評される人は、誰かのグラスに飲み物がなかったら注文をしたり、ビールなどを注いだりします。そういうことは一切するなと言っています。

この会の目的は全員が全員を知ること、「ワン・カンバセーション」。飲みたい人間は勝手に飲めばいい。人が話をしている最中に、それを遮って注文したりというのは絶対にやってはいけない。

これが実はコミュニケーションの最高の方法です。誰かが話し終わった後、必ず拍手をする。そのときに注文をすればよい。そういう気遣いです。

だから他の人が話しているときに、お喋りするのもご法度です。それくらい真剣に相手の話を聞くことで、相手が喜んでもっと饒舌になるのです。

ここからがこの会の最も重要なところですが、

「せっかく社長がいる場なんだから、何か言っておきたいことない？　何でもいいよ」

と私は訊いています。

「ではあえて言わせていただきますが、実は現場でこういうことがあって悩んでいます」

と言う人がいる。そこで私は、

「それはこうしてみたらどう？」

とその場で可能な限り即答します。答えを発言者本人だけではなく、その場にいる社員全員が聞くことになるので、同じような場面に直面したときに他の社員も参考にできますよね。

こういった形でひと通り全員に話をしてもらって残りの時間で、

「否定批判は聞かないけど、会社に対しての要望、自分のやりたいこと、会社がこうすれば良くなると思うことを言って」

と意見を出してもらいます。そうするとたくさんの意見が出てきます。

その意見は全て会議で「これはすぐにできる」「これはすぐにできない」「3年後ならばできる」というふうに検討します。「サシさとし」やコーチとの面談（後述）で出てきた要望・意見と同様に扱います。

この1年間で社員からの要望を聞いたうえで、実現させていることはかなりあります。500人以上の社員がいる会社に在籍している人たちは、自分の意見が通るとは思っていませんから驚いています。前述したように、規模が大きくなると社員の意見は通らなくなることが多いですから。おそらく社員数が100人の会社でも意見が通るとは思っていません。

けれど自分が言ったことが実現しているとなったら、その会社に対する希望が出てきますよね。会社員時代の私のような人間であれば、自分から上司のところに行って「こうしてほしい、ああしてほしい」と掛け合いますけど、大多数の人はそういったことはやりません。だから「社員側から意見を言いに来ないのであれば、こちらから聞きにいこう」と考えたのです。

先日もある社員から、

「去年のこのことは私が要望を出したから実現したのですか？」

と訊かれました。

「そうだよ」と答えました。本人はとても喜んでいました。「この会社は社員一人ひとりの意見を真剣に聞いてくれるんだ」と。

こういうことを繰り返しやっています。

社員との交流～サシさとし～

社員と交流を図る機会として「サシさとし」というのもやっています。サシ飲みを私（下の名前は敏〝さとし〟）と社員がやるというものです。とはいえ本当に1対1というわけではなく、ＢＯＬＤａｙで抽選を行ない、当たった5人の社員と私で飲む。

社長に直接いろいろなことを聞ける重要な集まりとなっている、サシさとし。
ここで聞いた要望をいくつも実現してきました。

なぜ5人（私を入れて6人）という人数にしたかというと、なにか一つの議題を話すのに一つのテーブルの方が話しやすいからです。

このイベントの目的は、社長と社員が話す場を作ること。社長と社員が直接話す機会は、会社の規模が大きくなってくると少なくなりますから。ましてやエンジニアの仕事場は客先なので、なおさらその機会は少なくなりますよね。

ですから、こうした機会を設けて社員に自分自身のことを話してもらいます。否定や批判は聞きませんが、「どういったことをやりたい」とか「私への質問」「会社側の考え」「プライベートのこと」など、好きに話していいイベントにしています。

今当社は社員数がどんどん増えています。そうすると現場で同じチームとして働く社員も増えますので、「同じチームの人がどうやったらやる気を出してくれるのか」

というような悩みも出てきます。

それに一問一答のような形で、私が答えています。社長直々のアドバイスということですね。

他にも「〇〇制度を導入してもらえないか？」といった質問や要望が出てきます。すぐに対応するのが難しいものもあるのですが、とにかく全て聞いて、できるものから順次対応しています。

当社は6月末決算なので7月にキックオフを開催しており、そこで社員から出た要望にどれだけ応えたかを明示しています。出した要望に対してきちんと対応していることがわかると、会社に対する信頼感が生まれますから。

私との飲みで話したこと、コーチ（後述）に漏らした悩み……全てに会社として対応していく。そうしないと社員から信頼は寄せられませんし、安心して働ける会社にはなりません。

会社の規模が大きくなってきて500名を超える社員を抱えるようになると、意見を出してもなかなか採用されないというのは、どこの会社でもあることです。しかしボールドではそうした社員の声を吸い上げて、できる限り実現できるようにしています。それが社員からの信頼に繋がるのです。

「社長が社員を祝う会」「サシさとし」は、よほどのことがない限り、毎月必ず行なっています。これによって、また自分が会社の一員だと実感できるのです。

部活

ボールドには、なんと29もの部活動があり、毎週複数の部活がどこかで開催されています。しかも参加人数が多いときには、60名という部活もあります。正式部員が7

29存在する部活。スポーツ系から文化系まで、いろいろな部活が存在します。これも社員同士の交流を図る場として、重要な役目を果たしています。

毎週どこかの部活が開催されていて、どの部活もとても盛り上がっています。

29部活動活動中!!

文化系	運動系
アカペラ	テニス
アンサンブル	バスケ
釣り	ボウリング
芸術鑑賞	マラソン
オンラインゲーム	フットサル
カラオケ	アウトドア
イラスト	ヨガ
手芸	野球
軽音	卓球
アナログゲーム	スポーツ観戦
料理	ビリヤード
健康麻雀	ボルダリング
写真	ダーツ
ネイル	フィットネス
	バドミントン

名以上になると部費が出ます。部の懇親会には「1人あたりいくらまで」という補助を会社から出しています。私に対して「部活に参加してほしい」というリクエストが社員から届くことがありますが、盛り上げ役としての私が必要ないくらい部活が活発に行なわれていることを知っています。毎週どこかで何かの部活が開催されている報告は届いていますから。

それはもう完全にボールドの文化になっています。部活があって社員同士でコミュニケーションを取りながら活動をしている。感動大学を受講するメンバーでコミュニケーションがある。それは技術勉強会もそうですね。

そうやって違う現場で働いている社員同士が仲良くなっている。私も「あれ？　この2人は全然違う現場なのに、いつの間に仲良くなったんだろう」と思うことがしばしばあります。感動大学で一緒に受講していたとか、技術勉強会で半年一緒に……といった理由で仲良くなっているのです。

そういう実例がいくつもありますから、「だから帰属意識が大切なんだ」と私も再確認するんです。

感謝祭

２０１７年から毎年9月に「感謝祭」という催しを開催しています。これは全ての関係者に感謝するもので、社員、その家族、友人、恋人……そういった人を社員１人あたり3人まで呼べるイベントです。その人たちがどこに住んでいても、交通費を会

社員だけではなく、家族や友人なども参加するボールドの感謝祭。すごい人数が集まる一大イベントです。

社が全額負担して呼びます。結婚式の披露宴みたいな感じで、円卓に座ってコース料理を楽しんでもらっています。

会場では全員が見ている前で、年間に取得した資格の表彰式が行なわれます。資格を取得した全員です。それから皆勤賞も全員表彰。他にも他社から感謝状を贈られた場合には、それも表彰します。

さらに評価制度の中で一番上のS評価を上期・下期両方達成した社員には、「SS賞」が贈られます。会社の中で最も優秀な社員ということになるのですが、それも表彰します。

表彰の数がとても多く時間がかかります

感謝祭では、永年勤続表彰や感動大学積極出席表彰など、いろいろなカテゴリーで表彰式が行なわれます。

が、家族や友人などの前で表彰するためのイベントなのです。舞台で表彰されると、「うちの父さんすごい！」「うちの娘は頑張っているな」と喜んでもらっています。

またボールド・アワード（ゴールド、シルバー、ブロンズの3種）という表彰もあります。年間で最も活躍した人を表彰するものです。

他にも勉強会の講師には「社員のために尽くしてくれてありがとう」と表彰。感動大学の総出席数……すごい出席数の社員がいて、年間53回の出席、つまり毎週帰ってきて受講している社員がいるのでそれも表彰。そういう感じで、本当にありとあらゆることを表彰しています。

感謝祭ではさらに、部活の発表や芸能人のライブ、新卒社員の出し物、軽音サークルやア・カペラサークルのライブなども行なわれ、帰属意識を高めていきます。

夢を配るさわだサンタ

社員の家族で15歳以下の子供全員に毎年、「さわだサンタ」という私のイラスト付きメッセージカードをプレゼントと一緒に贈っています。プレゼントは子供からリクエストがあったものです。全部12月25日、クリスマスの朝着で贈っています。メッセージカードは私が直筆で書いています。けっこうな量になるので、なかなか大変なのですが（笑）。

手軽にやるとしたらamazonから社員の家に直送すればいいのかもしれません。amazonのサービスでメッセージを付けることはできますが、誰に対しても同じよう

毎年クリスマスの時期になると、会議室がプレゼントに埋め尽くされます(笑)。

な文章が書かれているものを贈っても意味がないと思うのです。それはプレゼントを贈ることに対して本気ではないということになります。本気で取り組まないと、相手が子供でも喜んでもらえない。直筆のカードを添えることで、初めて社員の家族にも喜ばれると思うのです。

毎年趣向を凝らし、子供たちが飽きないようにカードのデザインも変えて送ります。

クリスマスに社員の子供向けに送られるメッセージカード。相当な枚数になりますが、その全てに社長自ら直筆のメッセージを書いています。

放置されたエンジニアに帰属意識を

私が「ＢＯＬＤａｙ」「サシさとし」「社長が社員を祝う会」などを始めたのは、「エンジニアが放置されているから」というのが大きな理由です（第５章で詳しく触れます）。放置されていると帰属意識は生まれません。例えばボールドに応募してきた人に前の会社を辞めた理由を尋ねると、

「自分の存在意義がわからなくなったからです。放置されていますし」

と答える人が多い。「放置」という言葉で表現する人がたくさんいる。

私も最初にＩＴ業界を見て、「なんだ、この業界は。なぜエンジニアは放置されているんだ？」と思いましたが、私が思うくらいですから、当事者のエンジニアたちはずっとそういう不満を抱えながら仕事をしてきたわけです。

放置されている状況が嫌だというのなら、自分から会社に帰ればいいのにと思いますが、業界の慣習もあり、帰社したところで快く迎えてくれる会社もありません。

社員に説くボールドイズム

「サシさとし」や「社長が社員を祝う会」で、いまだに目標制度に関する質問が出てきます。

「なぜ5つも目標を立てるのですか？　3つにしてもらえないでしょうか」

という感じで。

他にも感動大学のことで、

「私は家が遠いので感動大学を外から受講できるようにしてもらえませんか」

「感動大学の開始時間を早めてもらえませんか。今の時間帯だと終電に間に合いません」

という要望も出ました。

でもそういった疑問や要望の数々に、なぜそうなのか？　ということに答えることで、その社員たちも明確な回答を得て納得するのです。それは少人数の場だから限られた人間にしか伝わらないのですが、そうやって草の根運動的に説明していくと、いずれ全員が共通理解をすることになります。だから「一見効果的ではないような地道なことをサボってはいけない」、そのことを自分に徹底しています。

「なぜ感動大学が毎日できるかわかる？　なぜＢＯＬＤａｙで全員が帰ってくるのか？　そういった文化を根付かせるためにどれだけ努力してきたか。普通は仕事終わりに勉強するために会社に帰ってこないよね。だって仕事が終わったらのんびりしたいでしょう。でも仲間がいると会社に帰ってくる。自分もそうじゃない？　あいつがいるから会社に戻ろうかなと思うんじゃない？　陳腐な言葉に聞こえるかもしれんけど、仲間がいるからこれだけ毎日たくさんの社員が帰って来て勉強する文化を作り上げたんだよ」

という根本の部分を言い続けないといけないということです。

先日も社員からそういう質問が出てきたので、上記のことを説明すると理解してくれました。

一般の会社であれば、感動大学は毎日できるわけないのです。

「普通に考えたら、早く家に帰りたいよね？」

と社員に訊いたら、皆同意します。毎日ではなかったとしても、月に数回でもわざわざ会社に帰って勉強する。仕事が終わった後、普通は勉強するかといったら、まずしませんよね。でもボールドでは、会社に帰ってきて勉強する社員が多くいる。

それは会社にそういう仕組みがあって、そういう文化になっているから。けれど最初からそういうふうにできるわけがありません。最初から簡単にできるのであれば、どこの会社もやっているはずです。

私が考えたのは、1カ月のうち1～2回くらい「会社に帰って勉強しようかな」と社員が思うためには、どのようなことをしたらいいのか？　ということ。これを必死になって考えました。

能動的に動く人間は、会社側で用意しなくても自分で勉強して自己研鑽に励む。だから会社で勉強するシステムを作ったら、その人たちは帰社して勉強する。しかしそれ以外の人がどうしたら帰社して勉強するようになるか？　それはやはり人間関係です。仲間がいるから、ライバルがいるから。そうでなければ仕事の後に勉強するようにはならない。遠隔地から勉強できるようにしたところで、普通は勉強するようにはなりません。

全ての社員に幸せになってほしい。全ての社員が人並み以上に努力して、技術力と人間力を向上させるしかない。しかしそれは強制ではなく、本人自らの意志でなければならない。そういう意識を持ってもらうために、私は現在のボールドの文化を作り上げたのです。綺麗事ではなく、本気で全社員に幸せになってもらいたい！ それが私の願いなのです。

第4章

世界唯一のコーチ制度

社員と二人三脚で伴走するコーチという存在

ここまで期限付きの目標の大切さには何度も触れてきました。またボールドでは半年ごとに目標を立てるということにも触れました。しかし半年間の目標を立てる際、「(半年間という)期限付きの目標を立てるのは自己責任」と突き放すことはできません。

仕事の納期はありますから、期限が切られたことに対して取り組んだ経験はあるはずです。しかし自分の人生において、「1年後にこうなるんだ」というような期限付きの目標を立てたことがある人はほとんどいません。それまでやったことがないのですから、やれと言われても、上手くできるわけがありません。5つの目標を立てるというのは実際のところ未経験の人にはハードルが高いものです。

しかし期限付きの目標がないと幸せになれませんし、ゴールが明確に決まっていないと努力を続けることはできません。ではどうしたらいいのか？ どうすれば社員各自が自分の人生に対する期限付きの目標を立てられるのか？ そのことを考えに考えていた時のことです。ある会社の役員の方にお話を聞く機会がありました。

その会社では一度現役を退いたシニアの方々による営業チームを作っているとのことでした。先人の経験やノウハウを社員たちに教えているのです。その話を聞いて「そういった経験豊かな人たちの力を借りれば、社員を教育できてそれぞれが自分の人生に対する期限付きの目標を立てられるようになるのではないか」と閃きました。そうして試行錯誤の末、社員一人ひとりに専属のコーチがつく唯一無二のコーチ制度が誕生しました。

コーチは、担当している社員と二人三脚で伴走してくれるのです。この制度を取り入れているのはボールドだけです。考えてもみてください。「1年後にこうなりたい」とか「3年後にこうなりたい」というのは、仕事ではなく個人的な目標、プライベートな目標です。そのようなプライベートの目標に関して、会社がお金を払ってコーチを雇い、専属でつくでしょうか？　つくわけがありません。他の会社では絶対にあり得ません。しかしボールドではそういったコーチを用意しているのです。これこそが他にはない唯一無二だと言い切れる理由です。またそこまでしないとコーチ制度は成功しない、ましてやボールドイズムは成功しないと考えました。

　コーチは目標を立てる際だけではなく、目標の進捗状況も細かく見ていきますし、目標以外での仕事の悩みなども相談に乗ります。社員をサポートするために、あらゆる尽力をする存在。それがボールドのコーチです。

　コーチが常に担っているのは、半年後に達成したい目標に対し、毎月どういうことをやっていかなければならないか、その行動計画の立案を促します。けれど、そういったことをやった経験がない人はできません。事例として「こういうふうに立てている人がいますよ」と教えたり、段階が進むと目標管理の進捗をプレゼンしてもらったりします。もちろんその過程で様々なアドバイスもします。

　コーチが得た各社員の情報は、会社にとって極めて重要な資源です。それを会社の成長にどう活かすか……これもコーチ制度の、そして経営者としての私の非常に重要な役割です。

　さすがに社員が500人を超えてくると私も全員の顔と名前が一致しませんし、個々人の状況を把握するのが難しくなってきます。そこでコーチは担当している社員

社員それぞれに付く専任のコーチ。仕事面だけでなく、プライベートな目標達成に向けても、文字通り二人三脚で伴走してくれる存在です。

に関するレポートを作成し、そのレポートを元に全ての社員の状況を私に報告します。「今誰がどのようなことで悩んでいるのか」「目標を達成するためにどう頑張っているか」といったことを、これで知ることができるのです。私自身が全社員分の報告を受けることに意味があります。全員の状況を社長が知っている。それでこそ不平等・不公平を作らないのです。

コーチとのミーティングで「今すぐに解決しないといけない」と判断した事案があった場合には、すぐに営業に指示を出します。そうやって問題解決をしたケースが何度もあるのですが、あるとき社員から、

「コーチに少しだけ愚痴を言っただけなのに、対応してくれたんですね。ありがとうございます」

と言われました。こうした事例はいくつもあります。

エンジニアを絶対に放置しない

本書でも何度か触れていますが、エンジニアとりわけ客先へ出向いて働くエンジニアは放置されがちです。それがこの業界の大きな問題だと思っているのですが、これについて後に詳述します。ボールドでは、現場で悩んでいるエンジニアを放置しません。絶対にです。

コーチからの報告書的なレポートとは別に、「懸案シート」というものがあります。どの社員にどのような懸案があるのかを週ごとにまとめ、毎週月曜日にそのシートを元に会議を行ない、とにかく客先現場の社員を放置しないよう徹底しています。それは勤怠に関しても同じで、欠かさずチェックしています。

勤怠のチェックというと「サボっていないかどうかのチェックだろう」と考える人がいるかもしれません。そういう側面もありますが、働きすぎていないかどうかのチェックという意味合いが強い。皆さんの中にも経験があるのではないでしょうか？　現場が大変な状況になっているときに、信じられないくらい働いているということが。

ボールドでは客先への派遣1週目からこうした兆候が見られた場合、アクションを起こします。「このままの状態だと、この社員は今月かなりの過重労働になるのではないか？」という懸念が出て来るからです。ですからそういった状況の社員を全員ピックアップして、すぐに勤務時間の調整をお客様と話し合うよう営業担当に指示し、それでも労働環境が改善されない場合はそのお客様から引き上げることになります。それくらい働く時間も徹底して管理しているのです。

ゼロから手作りで作り上げたコーチのノウハウ

現在のコーチ制度はゼロから作り上げたものです。最初のコーチとして招いて現在もコーチをやっていただいている方には、とても頑張っていただきました。

それというのも私が「こういうことをやりたい」と言っても、世の中にそんなことをやっている会社がありませんから、お手本にできるものがない。どういうやり方がいいのかを手探り状態で構築していくのに尽力いただいたのです。

一例を挙げると、私とコーチがミーティングをする際に資料となる各社員のレポート。そのフォーマットを作ってもらいました。その方からすると「コーチとして来ているだけなのだから、レポートのフォーマットなど細かい作業は誰か他の人がやるのだろうな」と思っていたはずです。

でも私は、社員から直接話を聞いている彼に作っていただきたかった。レポートがないとミーティングのときに口頭で伝えることになります。そうであれば、コーチを介して聞くより私が直に会って聞いた方が早いし正確に伝わります。しかし社員数が増えてくれば私が全員と面談するのは物理的に厳しい。だからコーチに面談してもらい、そのレポートを元にミーティングをしたかったのです。もちろん初めて作るのですから、フォーマットなどはありません。それでも、作ってほしい旨を彼にお願いしました。

そこから2人で「これがあったほうがいい」「これはどうだ」という感じで、細かい部分まで決めていきました。

その後お手伝いいただくようになったコーチたちは、そのときに作り上げたシートを見て「こうなってるのか」と把握しながら進めていけますが、当初は本当に何もありませんでしたから、そのご苦労は大変なものでした。それでも彼は「一緒に作り上げていく」ということを一生懸命やってくれる、意気に感じてくれる人だったので本当に助かりました。そういう人だから、エンジニアも心を開いて面談で話せるのだと思います。

実際のところ、コーチが社員とどういうミーティングをしているかというと、

・目標の立て方
・どのような目標がふさわしいか
・目標の進捗状況
・評価、指導
・自分のキャリア

など多岐に亘ります。これらに加えて仕事の悩み、現場の状況なども聞き取ります。エンジニアは客先で働いている。ということは、他の業種のように毎日の様子を上司や先輩が見ることは不可能に近い。特に新社会人の場合、普通は教えてもらえる、指導してもらえることを知らないままという状態が生まれる懸念があります。コーチ制度を設けているのは、そういった部分をサポートする意味合いもあります

目標の立案を丁寧に支援

それでは実際にどういう人がコーチをしているのか？　そこを疑問に思った方もいるかもしれませんね。ボールドのコーチは同業経験者のみ、しかも大手メーカーやSIerで管理職以上を経験している人に絞っています。皆さん、立派に仕事を勤め上げて定年退職した後にボールドのコーチとして来てもらっています。そういった経験豊富な方々ですので、社員も安心して相談ができています。

しかしコーチがアドバイスをするとはいえ、5つの目標は全て自分で考えるものです。逆に言えば、ある程度自由に立てられる。「ある程度」と書いたのは、いくつかの決まりの中での目標設定が求められているからです。まず大事なのは、その目標がボールドの社員として適したものかどうかということです。さらに、

「顧客満足&業績」

「自己研鑽」

「他者に影響を及ぼすこと」

という3つのカテゴリーに関連した目標が、5つの中に1つずつは最低でも入っていることが必須です。

「期限付きの目標」ですから、時間的にも質的にもゴールが必ずあります。目標を立てる経験のない社員には、コーチはまず「自分にとってのゴールは何か？」を理解してもらうことから始めます。

目標に対しての難易度も設定されていて、

「普通」

「高い」

「非常に高い」

という3つに分けられています。

もちろん新卒の社員とベテランの社員とでは、同じ目標でも難易度は変わります。新卒には「高い」目標でも、ベテランには「普通」の目標ということはあります。そういう部分も含めてコーチが見ています。

文章を書けるようになって評価が上がった

ここからはコーチの指導が奏功した例をいくつか挙げていきます。

新卒で入社して4年目の社員がいました。技術職の新卒一期生として入社した人なのですが、「目標管理」を書かせても最初は上手くできませんでした。それまでにやったことがないわけですから、当然と言えば当然ですが……。毎月の面談で進捗報告を見てみると、文章もあまり上手ではない。ここを解決すればガラリと変わるのではないか？　と担当コーチは考えたそうです。そこで、

「私の言うことをヒントにして、自分でいろいろと調べてから書いてみては？」

という指導をしたそうです。その結果、見違えるほど文章を上手に書けるようになりました。文章を上手く書くことに関して「自分を評価してもらうために、自分がどういうことをやっているのか、具体的に数値化して文章にするなどして、他人にきちんと伝えないといけない」という理解を促した。そしてその理解が深まったことで、

自分の目標もしっかりと立てられるようになってきたのです。どういった目標を立て、どう行動していけば評価されるのかがわかるようになってきた。文章を書けるようになったことで、自分の考えを上手く整理できるようになったということでしょう。

その社員はコーチの狙い通り成果が表れるようになりました。最初の評価はDだったのですが、徐々に上がっていき私も驚いたことを覚えています。2回連続でS評価（ボールドの評価は上からS、A、B、C、D、Eの5段階）を獲ったのですから。しかもその間一度も評価を落としたことがない。D→C→B→Aと評価を上げ続けてきたのです。

読書が飛躍のきっかけに

こんな事例もあります。読書の習慣がない女性社員に、コーチが読んで参考になった本を渡したそうです。

しばらくして、

「あの本、どうだった？」

と尋ねたら、

「とても感動しました。役立つ情報がたくさん載っていました」

と言って、そこから彼女は本の虫と言えるくらい読書量が増えたのです。評価も、継続して高評価。資格も半期で4つ取得して、ボールドアワード（第3章参照）でシルバーを獲得しました。

読書で知識量が増えたのも要因でしょうが、知的好奇心が刺激されて読書以外にも情報収集したり勉強したりという努力をする習慣が身についた結果でしょう。

居酒屋スタッフから技術者へ転身

他の成功事例として、前職が居酒屋のスタッフだったという社員がいます。実家が居酒屋を経営していて、そこを手伝っていました。

しかし本人の中に「このままではいけない」という思いがあって、派遣会社に登録したものの、専門的なことが何もわからない。そんな折にボールドでは「感動大学」「技術勉強会」という学ぶ機会があるのを知って、「ここで勉強しよう」と思って入社したという、そういう社員です。

最初は何もできませんでした。ワードとエクセルが少し使えるくらい。使えるといってもエクセルで関数は怪しい。そういうレベルです。

そこでコーチが彼に、

「まずは難易度が一番低い目標から立てていこう」

と提案したそうです。

「できなくてもかまわない。とにかく目標として定めよう」

と勧めて、「自己研鑽」カテゴリーの目標として一番楽に取得できる「資格試験の合格」3つを設定させました。その社員は「自分を変えたい」と強く思っている人間でしたから、資格を3つとも取りました。人並み以上の努力をしたということですね。

以来、目標とする資格の難易度を少しずつ上げています。本人も資格を取得できたことで自信がついて「次はこれをやったらいいのではないか」ということが見えてくるようになりました。今では「インフラの技術者になりたい」と明確な未来像を描いています。一歩ずつ進んで上手くいった最たる例です。パソコンを満足に扱えなかった人間が、技術者としての未来の自分を視界に捉えているのです。

コーチからの報告で問題解決、異動が実現

ここからは、コーチとのミーティングから事態が改善した例を挙げていきます。

新卒の社員で、人生の目標が明確な人がいました。将来的に必要となる資格もたくさん取得していましたが、仕事の現場は彼の希望するようなものではありませんでした。しかしそこでも不満を漏らさず、真面目に仕事をして現場での評価も高い。そこでコーチが私に、

「これだけ頑張っている人ですから、希望する現場に変えてあげることはできませんか？」

と提案。彼の異動が実現するに至りました。

異動が実現したのは、彼が希望しない現場でもきちんと実績を残していたからであることは言うまでもありません。実績を残している。資格も取っている……やるべきことをやっていれば、希望が叶うことがあります。頑張っているのに誰も見ていない、わかってくれない――そういう状況をボールドでは作りません。コーチが見ていますし、必ず私への報告があります。

コーチからよく報告がある現場の悩みは、技術的なことではなく人間関係が中心です。現場にはいろいろな会社からエンジニアが集まってきています。多種多様な人間がいます。パワハラに近い感じで接してくる人がいることもあります。そういう報告を受けたら、解決に向けて迅速に動きます。そのために、コーチからはどんな些細なことでも報告を受けています。「それほど大したことではない」と周囲が感じても、実は本人に重くのしかかる事案かもしれませんから。

エンジニアは自社のオフィスから離れた場所で仕事をすることがほとんどです。本書で何度も触れていますが、放置されている人が多い。この状況、絶対に良くないと私は考えています。だからこそ何でも相談できるコーチの体制を構築していますし、コーチからの報告を全社員分私が聞いているのです。本人が人並み以上の努力をするために会社ができることをやる。コーチ制度も、その一つです。

第5章

ＩＴ業界の悪弊を打破したい！

ボード設立まで

私は元々大阪の広告代理店で求人広告の営業を担当する会社員として働いていました。その会社を辞めて1年くらいは、様々な仕事を個人で請け負っていました。しかし仕事が滞り困っていたときに、

「東京でうちの個人代理店をやらないか？」

という誘いを受けたのです。情報誌の広告営業でした。

その後1年半くらいで媒体が終了したため、私の個人代理店業務も終わりました。

そこから結婚式場用の電子アルバムを作る会社の営業代行などをして過ごしていましたが、縁あって今の前身であるＩＴエンジニアの派遣業を始めることになりました。前述した広告営業の仕事で新卒・中途を問わず採用広告を手がけていましたし、時代はＩＴが主流になりそうだということで、エンジニアを派遣する仕事をやってみようかと。

現在、東京都港区赤坂にあるボールドの本社。船室をイメージしてつくられているエントランス。

社内で行われている様々なイベントの写真がエントランスに飾られています。

「感動 Ship」など、社員が知っておくべきボールドの理念などが掲げられています。

それにそういった仕事だと日本の根幹に関係するようなシステムを作るプロジェクトがあったり、仕事の規模的に他業種では経験できないような仕事ができるのも魅力的でした。

それまでの私はコンピュータにあまり関心のない人間でした。ただファッションが好きで流行や新しいものを受け入れることに関しては抵抗がなかったので、ＩＴ業界への参入を決断できたのだと思います。

ＩＴ業界の仕組みとエンジニアの状況

飛び込んでみて初めて知ったのですが、ＩＴ業界には建設業界に通じるような仕組みがありました。例えばある自動車メーカーで、生産した車の台数や販売実績を管理するシステムが必要となった場合、まずはＳＩ（Systems Integrator）やＳＥＳ（System Engineering Service）と呼ばれる我々のような会社に仕事が振られます。さらにそこから孫請けの会社に仕事が振られ、そこからフリーランスのエンジニアに仕事が発注されるケースもあります。つまり一つのシステムを作る現場に、複数の会社からエンジニアが何人も集まるのです。

建設業界も大手建設会社から下請け、孫請けなどに仕事が下りていきますよね。そして建設現場には複数の会社から来た人たちが働いています。それと同じです。

これの何が問題かというと前にも触れましたが、作業現場にいるエンジニアが放置されている状態にあるということです。99％以上のエンジニアが放置されていると言っても過言ではありません。もちろんたまに会社へ状況報告をしたりしますが、それ以外は放置。こうなるとそのエンジニアには会社に対する帰属意識も芽生えず、ましてや自分の会社が好きになれるわけがありません。

「自分の会社を代表して現場に来ているのだから、会社として最高のサービスを提供しなければ！」

「自分の会社とともに成長していくんだ」

というような気持ちには到底なれません。しかしそれはそういう気持ちになれないエンジニアが悪いわけではなく、放置している会社が悪いのです。

　エンジニアは放置されていて教育もされていない。普通の会社であれば、先輩や上司が社会人としてのあるべき姿や仕事への姿勢などを教えてくれたり、間違っている場合には注意してくれたりするものです。それは口で言うこともあるでしょうし、行動で模範を示すという伝え方もあるでしょう。しかし寄せ集めの現場では教えてくれる人がいません。

　もちろん現場に同じ会社の人がいる場合もあります。例えばA社から3人、B社から5人、C社から10人といった具合に、複数のエンジニアがプロジェクトに集まってきます。ですから同じプロジェクトに同じ会社の先輩や上司がいることもあります。しかしその先輩社員もこれまで教育されていませんから、後輩に教えられるはずがありません。教える必要性も感じないでしょう。そうなると自己中心的な考えを持つ人間が出てきても不思議ではありません。

　仕事である以上、結局は人対人。人柄やコミュニケーション能力といった「人間力」が必要なのです。腕に覚えがあるからといって、「自分はこの腕一本で食べているんだ」

という勘違いをしている人、悪い意味での職人気質を持っている人がいます。もちろんＩＴ業界だけに当てはまることではないでしょうが、社会的な通念や常識を持ち合わせていないエンジニアが残念ながら少なからずいます。きちんとした教育を受けることができればそうならなかったはずです。そういう意味では彼らも気の毒です。

ＩＴというのは世の中の最先端を走る業種だと思いますが、人間教育（人を成長させていく）という部分が疎かになっている。人間教育に関しては他業種よりも遅れていると感じました。

「業界を変革したい！」というと言い過ぎかもしれませんが、少なくとも自分の会社では、社員が人間的に成長していけるようにしたい。それが起業した当初に目標とした一つです。なぜならば第1章で触れたように「人間力」と「技術力」を向上させないと幸せになれないのですから。

教育の必要性を痛感したエピソード

退職願いの提出から会社との一連のやり取りを代行業者に依頼する、職場に突然来なくなる――こんな話が昨今メディアを賑わせています。けれどそれは今に始まった話ではなく、ボールド創業当初からありました。

あるときお客様から、

「御社から来ているAさんがもう5日間も来ていません。連絡もないのですが、どうしたのでしょうか？」

という電話が入りました。

こちらとしては青天の霹靂です。当然心配しますよね。連絡できないほど体調を崩しているのだろうか？　まさか事故に遭ったとか……。電話しても繋がらない。当時の携帯電話は場所によっては電波が届きづらいこともありましたし、全員が全員持っている時代でもなかったのですが、本人と連絡を取って事情を聞かないことにはお客様が納得しないので、自宅を訪れました。

やっと本人に会えて話を聞いたら、

「今のプロジェクトに来ている○○さんが嫌いなので辞めたい」

などと言うわけです。信じがたい言葉に、呆気にとられました。

「辞めるなら辞めるでいいけど、後任の人がわかるようにどこにどのようなデータがあるかを明示して、お客様に辞意を伝えて頭を下げないとダメだよ。ケジメはつけよう」

と指示しましたが、結局は引継ぎもなしに辞めていきました。

そうしたエンジニア何人かと仕事をして、「こういう人間と仕事をするのは、自分にとってマイナスにしかならない。この事業を辞めようかな……」と考えたこともあります。しかしそれは違うと、すぐに思い直しました。

社会人として責任を持って取り組む人、自分の仕事に誇りを持ってやっている人がいくらでもいるはずだ。自分が起業したばかりで知名度も人気もないから、なかなか良い人が来てくれていないだけだと考えを改めました。

もし私が経営面だけを考えて割り切っているのであれば、現場放棄したエンジニアも「商品」としてだけ見て、教育もせずに、何事もなかったかのように「こういう人がいますよ」と別のお客様に紹介することもできたと思います。あたかも部品を取り替えるように、そうやっている派遣会社は世の中に少なからずあるでしょう。

でも仕事を放棄したり、社会人として不適切な行動を取ったときに、

「それは社会人としておかしいと思わない？」

と訊いて、

「おかしいです」

と答える人たちと仕事をしたいと思いましたし、そう答えられないなら答えられるように教育しなければならないと強く思ったのでした。

新卒の人たちはまだ一人前の社会人ではありません。先輩や上司がまったく教育をしないで、社会人として立派に通用する人がどれだけいるでしょうか？　少しはいるかもしれませんが、それは稀な人たちだと私は思います。

失敗することはあるでしょう。行き詰まることもあるでしょう。技術的にも人間的にも壁に突き当たることもあるはずです。そんなときに指導してくれる人がいないの

は不幸だ。エンジニアが放置されている状況にある中で、ＩＴ業界が幸せに伸びていく将来像が、私には見えませんでした。

人間力を育てるＩＴ企業に

エンジニアを派遣する会社は「手数料だけ抜いている」というイメージを持っている人が少なくありません。確かにそういう会社はあります。当時は「フリーエンジニア」という言葉は使われていませんでしたが、「あなたたちは個人事業主です。個人の裁量で仕事をしているのです」とおだてて、外注として契約することがあるのも事実です。

そうした状況がある中で、こんな人がボールドに面接を受けに来たことがあります。「どんな仕事内容？　打合せに来たんだけど」と尊大な態度。面接という認識を持っていません。

「経歴書を出してください」

　と言うと、Ａ３の紙を50枚くらい丸めた束から１枚引き抜いて
「ハイどうぞ」

　と。見たら、コピーされた経歴書でした。印鑑もコピーですし、写真もコピーだから白黒。今の時代はパソコンで作るのが常識になりましたけど、当時は手書きが常識。「あっちこっちの面接へ行くのに手書きは面倒」とばかりにコピーしていたのですね。

　さすがに呆れて、

「ちょっと君さぁ、本当にこれでいいと思っているの？」

　と訊いたら、

「何か問題でも？」

　と言う始末。それだけ常識がないのです。その彼は30歳くらい。社会に出てからずいぶん経っているのに、こういう対応なのです。もちろん経歴書などをきちんと書いて出してくる人だってたくさんいますが、こういった非常識な人間が多いのもまた事実です。

どれだけ便利な時代になったとしても、そしてどのような業種でも、人との繋がりはなくならないものです。現在ボールドが重視している「人間力」が重要なのです。これは当社が掲げているから言っているわけではありません。社会生活を送るにあたって必要とされるものです。

何も飛び抜けたコミュニケーション能力が必要だと言っているわけではありません。「朝、出社したら挨拶をする」「時間に遅れそうであれば一報を入れる」というような社会人として当然の常識を身に付けておく。

それにプラスして「辛いことから逃げ出さない」ということも必要です。辛いことからすぐ逃げ出すクセがついたら、何も成し遂げることはできません。仕事をしていたら思うようにいかない場面は必ず出てきます。技術的なこと、人間関係、日程的なこと、またはそれら全て……そういった困難な場面でも仕事をやり遂げるだけの強い心を持つように教育しなければならないと思います。なぜならば困難を乗り越えることでしか、人は成長できないからです。

一生定年までエンジニアとして働ける会社

教育されていないエンジニアがいるという問題の他にもう一つ、エンジニアの年齢に起因する問題があります。現場でバリバリ働く、ＰＭ（プロジェクト・マネジャー）以外の40歳以上の現役エンジニアがほとんどいなかったのです。ある程度の年齢になるとＰＭになることが求められますが、全ての人がＰＭになれるわけがありません。技術的には素晴らしいものの、マネジメントがどうしても不得手という人はいます。

しかし特に大手の場合、40歳を超えるとＰＭになることが求められます。現場でエンジニアとしてやってきた、人間力が高い人はいます。そういう人は当然出世していきます。マネジメントもできる人たちですから。しかしマネジメントが不得手な人もいる。ではそういう人たちはどうするのか？ＰＭにはなれない。エンジニアとして現場にも出してもらえない。そうなると、全然違った部署に配属されることになるのです。技術があって定年まで第一線でバリバリ働ける力があるけれど、マネジメントが苦手。そうした人が定年までエンジニアとして活躍できる状況にないのです。やってきたこととまったく違う部署で、定年まで頑張れる人もいるでしょう。一方で、辞める人もたくさんいる。当社にも「現場で働きたいから」という理由で入社してきた中途採用の人がたくさんいます。

それはそうです。機械いじりが好きな人が、いきなり営業をやれと言われても嫌に決まっています。「自分はまだ現役バリバリでやれるのに……」と思いますよね。

年齢を重ねたエンジニアが現場から外される理由の一つに、「新しい技術や知識の修得が若い人よりも劣る」ということが言われます。技術畑などでよく言われていた「35歳定年説」というやつですね。

そんな馬鹿な話はない。年齢を重ねても熱心に勉強を続ける人は、いくらでもいます。けれど当初は、私が彼らを推薦しても発注元企業に受け入れてもらえないことが多々ありました。結局ベテランが求められない理由というのは、ＰＭが自分より年上のエンジニアに指示がしづらいからなのです。でもそれもおかしな理由です。上の立場にいる年下の人の指示を無視するような人がどれだけいますか？　社会常識を持っていれば、きちんと従うはずです。それにクレーム対応や危機管理など、ベテランならではの豊富な経験が役に立つはずです。

もしIT業界では40歳以上が現役エンジニアとして働けないと知ったら、希望を持って業界に来る若い人はいなくなるのではないでしょうか。世の中の最先端業界なのに一生定年までエンジニアとして働けないとしたら……夢が持てませんよね。

だから私はそんな人たちが、一生定年までエンジニアとして現場で働ける会社にしたいと思ったのです。それが創業して1年経過するかどうかという時期のことでした。

マネジメントには向いていないけれども、現場では中心となって活躍できる人が年齢を重ねたからといって、無条件に現場から外されるとしたら、新卒でこの業界に入ってくる人はいなくなります。自分のキャリアプランをまったく立てられないのですから。

先ほど「35歳定年説」という言葉が出ましたが、さすがに35歳で現場を外されることは現在ではありません。しかし40歳を過ぎてからは現場での仕事ができる人は限られます。

50歳、60歳で現役のエンジニアという人はほとんどいません。こんなおかしいことがあるでしょうか？ エンジニアには職人気質の人もいます。エンジニアも人間ですから、いろいろな人がいるのは当たり前です。それなのに60歳まで現役で働いているエンジニアがいない。おかしなことです。

それはフリーランスの人も同じです。「組織に属さないで、自分の腕でプロとして食べていっている」というような感じで。凄腕の傭兵というようなイメージでしょうか。しかしやはり60歳で現役のエンジニアとして働いている人はいません。年齢を重ねてもフリーとして食べていける業界であれば、フリーランスのまま活動するのはありです。しかし40歳以上になると仕事が少なくなるので、会社に勤めたいと考えるフリーランスの方が多くいらっしゃいます。でもその年齢からの就職はなかなか難しい。

業界全体の問題として、エンジニアの年齢問題は解決していくべきことだと思います。

ボールドの理念

人間力、そして技術力のあるエンジニアを育てること。一生定年まで現役のエンジニアとして働けること。これらを軸として今のボールドという会社を経営しているわけですが、企業としての理念は当然存在します。それは第1章でも紹介した「感動Ｓｈｉｐ」というものです。

人間力と技術力が上がったら他人から評価される。他人に評価される最上級は感動、他人に毎日感動を与える。だから「感動Ｓｈｉｐ」という理念にしたのです。

毎日常に誰かに感動されている状態が続いたら最高ですよね。お客様、恋人、友人、家族……皆を感動させていたら協力してくれるだろうし、いろいろなチャンスが生まれます。

「評価は他人が全て決める。それが幸せになるために必要だということは皆わかってくれているよね。だったら他人の喜ぶことだけ考えよう」

ということを社員にはよく言います。

とはいえ、「世のため、人のため」「利他」ということをことさら意識しなくてもいいのです。自分の人生だから、自分のために生きていけばいい。自分が幸せになることを考えればいい。でも自分が幸せになるためには、他人に評価されることが必要。その最上級が感動されること。そうでないと幸せになれない。他人のために頑張ることが、自分のためになる。逆に言えば、自分のために頑張ることが、結果他人のために繋がる――そういう考えでやれば利他の精神も自ずと生まれます。

中途採用の人が失意の中で転職活動をしていたりするのは、武器を持っていないからです。武器というのは、前にも触れましたが「誰よりも仕事が速い」「誰よりも仕事が正確」「誰よりもミスがない」「誰よりも周囲の人に気が使える」「誰よりも元気よく大きな声で挨拶をする」というようにいろいろあります。ではどうして武器を持っていないかというと、「本気で幸せになる」と思ってないからとしか考えようがありません。

本気で幸せになろうと思ったら、挨拶でも大きな声が自然と出てきます。10人の社員がいたとして、最初に「この中の誰かの給料を上げてあげよう」とか「大阪に出す支社を誰に任せようか？」と考えるとき、誰を選ぶか？

例えば「誰よりも〇〇である」という武器を10個持っている人、5個持っている人、3個持っている人のうち誰を選ぶか？ 10人の中で「誰よりも仕事が速い」「誰よりもミスがない」「誰よりも勉強熱心」「誰よりも気が回る」「誰よりも資格を持っている」「誰よりも笑顔で元気」。そういう武器を多く持つ人が勝つのです。

武器を多く持っていれば、信じられないくらい他人から評価されるのです。結果が全て。わかりやすい具体的な状態、もしくはハッキリした数値……それらで表せるものがどれだけあるかです。

それで言うと「誰よりも笑顔で元気」というのは抽象的に聞こえるかもしれません。けれど周りが認めていればそれで勝ち。笑顔で元気というのは、見てわかりますから。

そういったことをわかっている人が少ない。世の中で出世している人（私も何人か知っていますが）、彼らは音楽界、スポーツ界、ビジネス界など何でもそうですけど、期限付きの目標を人並み以上に圧倒的に努力して成果が出て、それが他人から評価されている。それだけを無我夢中にやり続けています。

だから周りが評価（感動）するわけです。

「あいつ、すごいな」

と。もちろん努力していることはすごいことです。でもやっている側からすると「すごい」と言われても、

「幸せになりたいのだから、これくらい努力するのは当然でしょう？ やらないと幸せになれないのだから」

という返事をするしかありません。他人を感動させる人というのは、得てしてそのようなものなのです。

仕事のできる人はお節介

関西で生まれて、お節介な、いわゆる大阪のおばちゃん的な母親（まさに大阪のお

ばちゃんなのですが）の元で育ったというのもありますが、

「常にお節介になれ」

ということは社員に言い続けています。

これは「１００％の話を１２０％で伝えろ」とも言えます。例えば大勢で、１００％の話を伝えていったとしたら、最後の人には50％くらいしか伝わりません。伝言ゲームを思い浮かべるとわかりやすいでしょうが、正確には伝わりません。

なぜかと言うと、最初の人が１００％伝えたとしても、それを聞いた人は自分が理解している内容を省略するからです。「お節介かもしれないし回りくどく思われるかもしれないけど、こういうふうに言おう」とはならない。

要するに、話が薄まってしまうのです。「これは別に言わなくてもいいか」「こういう言い方じゃなくても伝わるでしょう」と勝手に考えてしまう。最初の言葉通りに伝えなければ伝わらないようなことも、そうやって自分流にアレンジしてしまう。結果として正しく伝わらない。

だからコミュニケーションにおいて、

「〇〇と言ったでしょう？」

「いや私は□□と聞きました」

という摩擦が常に起こるのです。これは、「伝えること」が目的になってしまい、「伝えて完全に理解してもらうこと」をゴールにしてないことが原因です。

完全に理解してもらうには、「さっきのあの言い方でよかったかな、違うかな」と顧みて、伝え方を試行錯誤する必要がある。そこまで徹底してやっても、意に反することが起きてしまうこともあります。自分が完璧に完成したいという意欲がどれだけ強いかで、「お節介度」が変わるのです。そしてお節介度が高いほど、仕事の精度も高くなる。だからお節介にならないと、良い仕事はできないのです。

ボールドの3秒ルール

子供の頃、食べ物を地面に落としても「3秒以内だったら食べてもいい」という「3

秒ルール」がありましたよね？ 当社での3秒ルールは「すぐやれ」です。「お節介」と同じく重要なことです。実例を挙げましょう。

当社の営業担当者が、

「こういうエンジニアを大至急手配してほしい」

とお客様から依頼されたときのことです。彼はお客様のことをよく理解していました。しかしその思い込みを一度捨てて、改めてどういったエンジニアを望んでいるのかを具体的に確認しました（これもお節介の一つです）。

そのうえで、能力的にも人柄的にも最適なエンジニアを人選して即座に提案。結果として、

「どこよりもボールドの提案がスピーディーだった」

と契約に繋がりました。

当然ですが、「ボールドの対応は素晴らしいけど、他社の提案も一応見てみたい」という人は少なくありません。でもそのお客様は当社の社員の最高のサービスを「素晴らしい」と評価し、他社の提案を見もせずに発注してくださったのです。

最高のサービスを提供し続けて、「君が言うのなら」とお客様が言ってくれるまでの信用を勝ち獲っていた。スピーディーで正確な仕事をする――このことの大切さを示した実例だと思います。

「自己満足のサービス」に陥ってないか？

お節介と3秒ルールの例をもう少し挙げます。当社の朝のミーティング風景とお考えください。

「今日、成果が出るような読みがどれくらいある？」

「今日はまずミーティングが終わったら、○○社さんに最終的な返答をもらおうと思っています」

「了解」

営業マンはミーティングが終わった直後、客先に電話をかけます。

「お世話になります。ボールドのAですけど……また電話させていただきます。よろしくお願いします」

「どうしたの？」

と訊くと、「どうしたも何も今のやり取りを聞いていてわからなかったのかな？」と担当者は腑に落ちない顔をしています。

「留守番電話だったので、メッセージを入れておきました」

と言うので、

「もう1回電話してみたら？」

と私が言うと、

「え？」

と呆気に取られています。

「今、留守番電話入れたばかりなんですけど」

「いいから、とりあえず電話してみな」

怪訝な顔をしつつも電話してみたら、結果としてお客様と電話が繋がった。こうしたことは頻繁にあります。電話を切った後に私はこう言います。

「まず、君は電話することを仕事にしているだろう？　今日この時間で、絶対に返答をもらって受注したいと思ってた？　思ってなかったんじゃないの？　さっきの留守番電話の後、次はいつ電話しようと思った？」

「だいたい小一時間後くらい……」

「だろうね。それが社会の常識だと思われているよね。でも小一時間後に電話すると決めたのは誰？」

「私です」

「お客様は実際にどこにいるか知ってる？」

「知りません」

「なぜ今電話して繋がったかを考えてみて。繋がらなかったときは、ビルの谷間にいたり地下にいたりしたのかもしれない。相手の都合や状況を想像してないんじゃない？　君の判断で繋がらないから小一時間後に電話するというのは、自分のやりたいことをやってるだけだよね。もしライバル会社が3分後に電話して繋がっていたら、

『遅かったよ。他社がすぐ電話くれたから決めちゃったよ』となるよね。そうなったら誰の責任？」

「私です」

「そうだよね。だから君は、絶対に他社に負けずに一番に仕事を取ってやろう。受注をもらおうなんて全然思ってないということなんだよ」

「絶対に他社に負けないボールドのサービスを提供しよう」という思い、お節介が足りてない。「何が何でも」っていう意欲が足りないのです。

これもよくあるケースですが、電話をかけたらお客様が会議中だったという場合があります。

「今会議中なんで」

と言われたら、かけたほうも口元に手を当てて小声になって、

「すみません、またお電話差し上げます」

と伝えて電話を切る。そんなときの私と営業マンとの会話です。

「なんで切った？」

「会議中だと言われたので」

「会議中かもしれないけど、なぜいつ電話したらいいか訊かないの？　その一言が何で言えない？」

「いや、お客様が会議中って言ったので」

「でも電話に出てくれてるよね。じゃ、次いつ電話するの？」

「小一時間後に……」

小一時間後に会議が終わるとは聞いてないから、もし電話してまだ会議をやってぃたとしたら、

「そうですか、すみません」

で、また小一時間後に電話することになる。会議中に3回も電話がかかってきたら、

「いい加減にしろ！」となります。余計なことで怒らせる。

「そうですか、すみません。じゃあ何時に終わります？　何時に電話していいですか？」

と訊くだけの話なのに、大概の人は「すみません」で切ってしまう。

一刻も早く切って邪魔しないようにという配慮をしているつもりなのでしょうが、

それが余計な自己満足のサービスなのです。相手が気持ちよくなることなんて考えてないんです。

相手は会議中かもしれませんが、電話に出られるわけですよね。本当に立て込んでいるのであれば、絶対に電話には出ません。でも相手は電話に出ているのです。

「急ぎで、と思ったんです」

と話すと、

「30秒だったらいいよ」

くらいのことは言ってもらえる場合もあります。

「そうですか、すみません。昨日の件ですけど、他からも声がいっぱいかかってるので、今決めてもらえないでしょうか」

「じゃいいよ。もう注文するわ」

となるケースも経験上少なくありません。さもなければ、

「ちょっと今決められない」

「そうですか、じゃあ何時にかけたらいいですか」

という会話で済む話ですよね。

気をまわしたつもりなのでしょうが、「○○したつもり」には何も意味がありません。結果が全てです。「お節介」が足りていないのです。「自分が完璧にやり遂げたい」という意欲があれば、深く考えて行動します。ボールドでは、それを「お節介」と呼んでいるのです。

お客様に自分の顔を最初に思い浮かべてもらいたい

私が「お節介」にこだわっているのは自身の経験に基づいています。営業冥利というか、お客様から最高に信頼を得たと感じた話をします。ボールドを創業する前、広告代理店の営業をしていた頃のエピソードです。

あるとき、お客様から電話がかかってきました。注文だと思って張り切って出ると、「悪いけど澤田さぁ、相談あるんや」（呼び捨ては、仲が良かった証(あかし)です）

「どうしたんですか？（なんや、注文と違うのか――心の声）」

「ちょっとお前、バス1台チャーターできへんか？　社員旅行で観光会社のバスを予約したんやけど、直前になってグダグダ抜かしよるから、もうキャンセルや！　って」

「ほんまですか。また怒りはったんでしょ」

などと言いながら、「10分待ってください」と言って電話を切りました。「ありとあらゆる知り合いがいることが、自分の財産になる」と心がけてきていたので、交友関係はすごく広かったのが幸いしました。

お客様との電話中に「バスって言ったら旅行会社やな」とアタリをつけていたので、大手旅行代理店に勤めていた幼馴染の女性が最初に思い浮かびました。前述した通り求人の仕事でしたので、お客様の業種は多種多様。他にも頼りになりそうなお客様が3人くらい思い浮かびましたが、最初に電話した大手旅行代理店の女性が即座に解決してくれたのです。もちろん、価格面でも要望通りです。依頼してきたお客様との電話を切ってから、わずか10分後のことでした。

「取れましたよ」

「マジか、お前？」

「マジかって、取れ言うたやないですか」

「お前スゲーな。キャンセルして誰に頼もうかなと思ったときに、顔が出てきたのはやっぱお前やねん」

「ありがとうございます。いいですけど、その代わり、絶対に次の注文早くくださいよ（笑）」

「わかってるがな」

困ったとき、何かを依頼しようと思ったときに、自分の顔を最初に思い浮かべてもらおうと思って仕事をしていましたから、これは本当に営業冥利でした。

このケースも「お節介」なわけです。広告営業がバスのチャーターまでやる必要はありません。お客様からリクエストがあったとして、断っても「本職ではないから仕方ないか」となるでしょう。しかし相手のことを考える「お節介」があるから、その後の関係も続いていったのです。

そういうふうに私が「お客様が自分のことを頭に浮かべているかどうか」に重きを

置いたそもそもの話をしましょう。

当時、入社4～5年目だった私はその会社の営業ナンバーワンでした。「大口」のお客様をつかんでいますが、私は新規顧客開拓でも圧倒的に1位でした。

ある日の人事担当者同士の会話です。

「採用がうまくいかないんだよ、お宅はどう？」

「ウチ、けっこう上手くいってますよ」

「なんで？」

「ウチの担当してる奴がいろいろ提案して来てくれるんですよ」

「誰それ？ 紹介してよ」

こんな感じで、必死になって電話をかけまくらなくても紹介が次々と舞い込んできました。それに加えて、さらに新規開拓の電話は頻繁にかけていました、他の人とはちょっと違うやり方で。

「広告のニーズ、その後どうですか？」

「1週間前にない言うたろ」

「1週間前に『ない』言うても、今週になれば出てくるのが求人ってもんやないですか」

「ないわ！」

「わかりました。ほな、紹介してください」

「は？」

「だから、紹介してください。社長、知り合いいっぱいおんねんから、1社や2社紹介したってバチ当たらんでしょう」

「いや、ほな考えてとく」

「考えとく言うたら絶対に考えてくれへん。今紹介してください」

いささか強引と言われそうですが、常にこんな感じで紹介してもらっていました。

営業の世界では、昔から「客先を回ってナンボ」みたいなところがある。それはもちろん重要ですし、理には適っています。しかしスマートさに欠ける面があります。特に真夏に駅から10分以上かけて歩いて、汗だくになって客先を訪問するなどというのは大嫌いだったので、なんとかリレーションを取る方法はないかと必死に考えました。

そうして「お客様が自分のことを頭に浮かべているかどうか」ということに思い至りました。直接行かなくも電話すればいい。そう思って、たくさん電話をかけていました。

営業ですから注文を取るのが仕事です。けれど「ください、ください」みたいな感じになっても煙たがれるだけなので、何かネタを用意して電話します。お客様に役立つ情報を用意して電話をしたのです。

「これこれこういうのがあるんですわ。今度紹介しましょうかぁ。あれ……そういえば最近注文ないですね（笑）」

という感じで。とにかくひたすら電話していましたから、お客様の中にどんどん入っていくことができたようです。そうは言っても、何度かけても居留守を使われたり避けられたりすることもあります。そういうときは潔く退散する。

それでも、どんなに偏屈なお客様でも「どうしたらこの人とリレーションシップが取れるようになるか」を考えました。ボールドを創業してからも、そういうお客様はいました。そんなときは「相手の琴線に触れること」を考えます。いつもなら「人間

力」をアピールするところを、例えば、

「評価もせずに放置している会社が、エンジニアの人間力なんて高められるわけないじゃないですか」

と私が言えば、

「わかる。私も言われてきたけどこれこれこうで……」

「ですよね。だからウチは会社が感動大学のような教育をやってるんです」

「マトモなこと、言うじゃないか」

と、わかってもらえることもあるのです。

終章

ボールドが考える「次の一手」

ボールドが展開していく新規事業

これまでにも触れてきましたが、ボールドという会社は一生定年まで現役のエンジニアとして働けることを軸として展開しています。

客先に常駐するスタイルの主幹事業は、大手企業を開拓しているので新たな取引先が増えています。けれどお客様ありきのプロジェクトなので、年齢を制限しないでエンジニアを派遣するのは、なかなかに難しいところがあります。年齢を気にしない企業もありますが、そうでない企業もまだありますから。

私がボールドを創業してからの5年間は、パソコンの修理やインストール……そういう単発の仕事もやっていました。その仕事を通じて、「大手や官公庁は予算をＩＴに回して便利になっているが、潤沢な予算がない中小企業はＩＴに予算をかけられない。本当に困っているのは中小企業なのではないか」と感じたのです。

中小企業向けのこうしたＩＴサポートサービスは大手企業も手がけてはいるのですが、こまめにフォローできている会社がありません。そんな状況なので「こういうサービスを展開できたら客先への常駐ではない仕事ができる」と考えました。契約先のお客様へ月1回か2回、「何かお困りのことはございませんか？」と定期的に巡回訪問して、緊急時の対応もするビジネスです。常駐の仕事で月に20日現場にいるとしたら、20社を巡回していけば稼働する日数は同じということになります。もうずいぶん昔ですが、「そういうふうにしていけば、ニーズがあるのではないか？」と思っていたとき、私の後輩が経営している会社が大阪から東京に進出する話がありました。

「営業責任者がいないから、ちょっと手伝ってもらえないか？」

と誘われて、その会社の営業部長を掛け持ちしました。

従業員にテレアポをしてもらっていましたが、自分の考えていたことが間違っていなかったことを確信できました。例えば「赤坂と千葉の営業所でネットワークを組みたいのだが、サーバー上でどうするこうするといったことがよくわからない」「パソコンが故障していて、どう対処すればいいかわからない」と困っている会社が結構あったのです。

パソコン関連の困りごとを解決したいというニーズがあるのがわかりましたし、社会貢献ということを考えると大手だけではなく中小企業にも対応しなくてはいけない。そうすれば総合的なＩＴのサービス会社になれると考えました。

最大のメリットは、常駐の仕事にこだわる必要がなくなることです。中小企業のＩＴサポートサービスがあったら、常駐の仕事がない期間に待機している社員（当社にはほぼいませんが）にも仕事ができますし、何よりボールド最大の問題解決である「年齢を気にする必要がない」状況を実現できます。ベテランと新卒社員がチームを組んで、新卒社員に教育しながら仕事を進めることもできます。

さらに言うと、当社で常駐の仕事をする社員として中途採用で入ってきた場合、すぐに現場に行かなければなりません。もちろん会社として最大限のサポートをするとはいえ、当社の社員として働いた経験がない人を「ボールドを代表して行く社員」として派遣するわけです。面接して採用しているので、ある程度の人となりはわかっているものの、面接だけでその人を完全に理解できるわけではありません。そう考えると少しばかりリスクを伴います。

そこで中小企業のＩＴサポートサービスのような仕事があれば、客先ではなく当社の社内で働くことになるので、１カ月もすればその人のことがわかります。そして常駐先のお客様に対しても、

「当社のサービスは採用した人間を即刻派遣して来る会社とは違います。数カ月社内で様子を見たうえで派遣しています」

とアピールできますので、差別化が図れます。そう考えると中小企業向けのサービスは良いことづくめです。

そのサービスを手がけることで、常駐の仕事で「年齢を重ねたエンジニアは扱いづらい」と言っている人たちに、「一生定年まで現役のエンジニアとして働ける会社」を証明できると考えました。口先だけの理想論ではなく、実際に定年までエンジニアとして働いている社員が何人もボールドにはいるんだ！　ということが。それこそ、私が創業当初から考えていたことが実現できるわけです。

さらに、「このサービスはビジネスとして成功する」と自信が湧いた出来事があり

ました。最近上場したある会社が、私の考えているのと同じ中小企業向けＩＴサポートサービスを展開しています。そこの社長さんとは以前から付き合いがあって、ボールドでもそういったサービスをやっていきたいと考えている旨を伝えたら、

「うちでやっているサービスを教えるから真似してくれても構わないよ」

と言っていただけたのです。その社長が言うには、いろいろな会社が参入しないと競争が起こらないから、業界自体が伸びていかない、だから是非やってほしいのだと。

先日、上場のお祝いを伝えた際、

「上場してから会社の調子はどうですか？」

と訊いたら、

「問い合わせが殺到していて、お客様には申し訳ないけど対応しきれなくて待ってもらっている」

と言っていました。さらに、

「澤田君にもこのサービスをやってほしいから言うけど、ニーズは本当にたくさんあるよ」

2020年6月から開設されたボールドの大阪支社。大阪駅前の一等地にオフィスを構えました。

新たな土地での新たな挑戦。希望に満ちた未来を見据え、全員が一丸となっています。

とも仰っていました。

今後、この事業に進出しようと考えています。これによって中小企業から大手まで総合的にサポートする会社を目指して行きます。それが実現すれば、恐らく今働いている他社のエンジニアにも相当魅力的に映ると思います。

さらに2020年6月、大阪支社が立ち上がりました。大阪駅前の一等地にオフィスを借りています。

最近の気付き

今回、本を出版するにあたって、これまでやってきたことを改めて振り返りました。そこで気付いたのは「ここ数年、私がＢＯＬＤａｙの意義なども含めて口酸っぱく言わなくなってきているな」ということ。

やはり「感動Ｓｈｉｐ」だとか「感動大学」というような話は、最初に聞いたときはインパクトがあって心に響くのですが、日々の業務でそれを意識するのは難しいと思います。「ボールドは他社ではできないことをやっているんだ」という意識が段々と薄まっていくようです。そうなると私と社員との間に認識の差が生まれて、せっかく会社のことを考えて前向きな意見を社員が出してきても、少し方向性が違うようなものになることがあります。

本社の人事担当者が入社の手引きをする折に、会社の概要などは伝えていますが、他社ではできないことを自分の会社は成し遂げているという認識が今一つ薄いのです。営業の人間も、担当したエンジニアにボールドという会社の意義を伝え続けることが大切です。私一人が力説したところで、エンジニアとはたまにしか会いませんから、普段から接している本社の人間が言い続けていく必要があります。

そもそもエンジニアを派遣するSESという業種は、あまり良いイメージで見られないことがあります。「しょせん派遣でしょう?」という感じで、働いている人間から利益を搾取しているイメージを持つ人が多くいます。ボールド本社の社員も、世間からそうしたイメージで捉えられていると感じていることがわかる場面に遭遇します。しかし私はそういう状況を良しとしていないことが、社員に伝わり切っていませんでした。そこで、次のようなことを改めて伝えました。

「よく考えてみて。僕たちがこれまで作ってきたボールドというブランドは、その辺のSESとは絶対に違う。そうでしょう？　これだけ毎日勉強するため会社に帰ってきたり、部活に励んだり、自分の人生の目標をコーチと具体的に考えている会社が、世の中のどこにある？　確かに一般的なイメージ通りのSESはたくさんあるよ。でもそういう会社とボールドを一緒にされたらたまったものじゃない。君たちもそう思わないか？　ボールドは間違いなく日本一のSES会社。最高の会社を創ってきた自信がある。まだ足りないところもあるかもしれないけど、それでもどこにこういう会社がある？　そしてこれからも日本一だと胸を張れるだけの努力を続ける。日本一資格を取る会社であり、日本一帰属意識が高くて……そんな〝日本一〟をどんどん創っていく会社だから。そういうプライドを全員が持って営業や面接に臨んで。そういう意識を強く持ってほしい！」

私自身、ボールドがやっていることにプライドを持っているのに、そのことを言葉にしていない。それが社員に誤解をもたらす結果にもなり、今の環境が恵まれているものではなく「当たり前のこと」だと感じる本社の社員も増えてきたのかもしれません。

現在、エンジニアは仕事に困ることはありません。ＩＴ業界は人手不足が続いており、前職よりも良い条件で転職できる状況にあります。しかしこうした状況がいつまで続くかは不透明です。一連のコロナ騒動もそうですが、予期せぬ事態というのは起こり得るものです。景気が急激に悪化したり、人手が余る状況だって起こり得ます。

そうしたときにこそ求められるのは、これまで触れてきたように「技術力」「人間力」が高いエンジニアです。当社だけでなく、他社のエンジニアにもそういった人たちが増えてくれれば業界の発展にも繋がります。ＩＴ業界の明るい未来を切り開くため、そして自分の人生を豊かにするため……そのようなエンジニアが増えることを願ってやみません。

最後にもう一度触れますが、幸せになるためには他者に評価されなければならない。そのためには期限付きの目標を定めて、人並み以上の努力すること。特別な才能や特殊な能力が絶対に必要というわけではありません。このことに気付いて実践していくことで、幸せになれる第一歩を踏み出すことができるのです。ぜひ皆さんにもこの気付きによって幸せを掴んでほしい。心からそう思います。

附録

社員インタビュー

実際にボールドで働いている人は、
どのように感じているのか？
社員に感想を聞きました

社員インタビュー

Q：株式会社ボールドを知ったきっかけと、そのときの印象。

A：前職を退職後、転職エージェントのサイトへ自身のプロフィールを公開した直後（確か30分後）、人事担当者から電話を頂きボールドを知りました。とても元気の良い応対でしたので、活気のある会社なのだろうと印象を持ちました。

（中途入社男性社員M）

就職エージェントを利用して知りました。仕事を通じて挑戦、成長したい自分に合った会社なのかなという印象を漠然と抱いていました。

（新卒男性社員T）

転職エージェントの求人情報で知りました。印象的だったのはユニークな社内制度があることです。

（中途入社男性社員S）

就活エージェントに紹介していただきました。会社説明を聞き、とても社員のやる気に溢れた会社という印象を受けました。

（新卒女性社員T）

Q：応募したのはなぜですか？

A：人事担当から電話を受けた際、会社概要を一生懸命説明して頂けたことで、応募（面接）しようと思いました。

（中途入社男性社員M）

2つ理由があります。エンジニアとして、文系未経験でも採用してくれるというのが一つ。もう一つは、未経験から最初の3年で成長できる環境があることです。

（新卒男性社員T）

率直に人事評価制度がエンジニアにとって魅力的な仕組みだと思ったからです。独立系SIerは、顧客常駐型なので評価方法が曖昧な印象を持っていました。でもボールドには明確な評価方法、しっかりとフィードバックしてもらえる環境がありました。このような環境で働けるのは、頑張り甲斐があると思いました。

（中途入社男性社員S）

プログラミング未経験でシステムエンジニアを目指すために社員への教育体制を重視して就職活動をしていました。本社セミナールームで勉強会開催等、学びたいときに学べる環境が用意されていると感じたからです。

（新卒女性社員T）

Q：入社試験、面接を受けてどのような印象を持ちましたか？　その印象は入社してから変わりましたか？

A：何事にも熱い情熱を持ち、社員を大事にする会社なのだと印象を受け、その思いは今でも変わりません。

（中途入社男性社員M）

澤田社長との最終面接の時点で、他の会社と異なり「本気で何かに挑戦する背中を押してくれる会社」という印象を受けました。背中を押してくれるというのは、中途半端に頑張っている人の背中を押してあげるような甘やかしではなく、本気で頑張っている人の背中だけ本気で押してくれるような厳しさであると感じたため、その環境で本気で成長してやろうと思いました。その印象は今も変わっていません。

（新卒男性社員T）

中途採用独特の試す感じがまったく無かったのが印象的でした。面接というよりもっと対話に近い形で、「一緒にやっていきましょう！」という気持ちを感じました。

（中途入社男性社員S）

努力の大切さを教えてくれる会社という印象を持ちました。このままプログラミング未経験で何もせず入社したら、経験者との技術差は広がる一方だということに気付くことができました。そこから勉強して1カ月後にITパスポートを取得できたのは面接のおかげだと思います。入社した今でもその印象は変わらず、努力したことが現場業務で活用できたときは嬉しいです。

Q：現場での仕事に関するサポートで、これまで勤めてきた会社との違いを感じていますか？

（新卒女性社員T）

A：これまでの会社では、どれほど努力や貢献をしても、年功序列や相対評価の壁を感じていましたが、ボールドでは技術力・人間力の研鑽をサポートしつつ、絶対評価であることに違いを感じています。努力して実績・功績を上げた分、確実に評価されるのが魅力と感じています。業務上、ときに困難な課題に直面することもあります。これまでは基本的には個人で解決策を探るしかありませんでしたが、現在は勉強会やコーチ制度を活用することにより解決策を探ることができます。

（中途入社男性社員S）

Q：（新入社員の方への質問です）実際に現場で仕事をしてみてどのような感想を持ちましたか？

A：私の配属先の業務内容は「開発未経験の人がやらせてもらえるの？」と思うレベルのものであったため、自分にできるのか？という不安と挑戦する楽しさがありました。今振り返れば最初の3カ月は本当に知識と経験が足りていない状態でしたが、弊社から同じく派遣されている先輩方が優秀であったため、失敗しても優しくフォローしてくださる方がいた点で恵まれていたと思います。

（新卒男性社員T）

設計、製造、テスト仕様書作成、テストと幅広く経験させていただき毎日が楽しいです。同じ現場で働く自社の先輩も知識が豊富で、たくさんの技術を親身に教えてくれます。大変恵まれていると感じます。

（新卒女性社員T）

Q：コーチ制度に関して、どのような印象がありますか？

A：当初はコーチの存在が必要なのか疑問を抱きました。しかし今では非常に良い制度だと感じています。通常ではアドバイスを頂けないポジション・役職を経験されて来たコーチの方々と、ざっくばらんな会話から、仕事やプライベート・人生論まで、幅広いアドバイスを頂ける事が最大の魅力です。

（中途入社男性社員M）

何度も面談するコーチとは自ずと親しい間柄に。人生の大先輩から貴重なアドバイスをもらえるのは、社員にとって大きな糧となっています。

自分の将来、キャリアに対して無意識に感じていることを定期的に明確にできる良い制度だと思っています。日々仕事をしながら常に目標を意識し続けるのは私にとっては難しいので、定期的なコーチ面談で「自分がどこに向かって進んでいるのか」を毎回確認できることはありがたいです。社会人の最初の3年間の中で圧倒的に成長したい私からするとコーチの存在は大きいです。

（新卒男性社員T）

お気に入りの社内制度です。自身が設定したキャリアプランに対して、客観的な意見やアドバイスをもらえます。そのため課題の早期発見などにつながり、本当に助かっています。

（中途入社男性社員S）

私自身は今のところ会社や現場に不満や悩みはありませんが、困ったときにすぐ相談できる体制が整っているのは大変ありがたいです。

（新卒女性社員T）

Q：最初に5つの目標を立てるとき難しく感じたのはどのようなところですか？

A：半年という短いスパンが難しいと感じました。これまで立てて来た目標は、最短でも1年間で成し遂げようと考えていたので。その期間が短くなったと勘違いしたのです。今ではロングスパンの目標に対し、半年ごとのマイルストーンを立て、明確な達成ポイントを掲げる事で取り組みがスムーズになると実感しています。

（中途入社男性社員M）

目標とする資格を選ぶのが難しかったです。開発エンジニアとしての力を身に付けていくにあたって、ちゃんとした開発経験がなかった頃の私は何から手をつけるべきかすぐに答えが浮かびませんでした。1年弱の開発経験を積んだ今は、これから自分が身につけるべきことが明確になっているため目標設定に苦労はしていません。

（新卒男性社員T）

達成基準を設けるところです。資格試験のように合格＝達成と評価される目標なら簡単ですが、それ以外の目標では自分なりに考えて達成基準を設定しなくてはいけません。

（中途入社男性社員S）

他者に影響を与える目標を立てることです。入社したばかりでどのように他者に影響を与えていけばよいか迷いました。今は部活動を通じて自社のコミュニティを広げ、それが帰属意識や技術共有の機会にも繋がるように目標を設定しています。

（新卒女性社員T）

Q：5つの目標達成状況を教えてください。期限付きであることは、どれくらい効果的ですか？

A：概ね順調です。半年という期限を設ける事で逆算しやすくなります。月単位、週単位、日単位などに細分化することで、日々の取り組み意識が変わる効果があると思います。

（中途入社男性社員M）

80％達成です。20％達成できなかった大きな要因の1つは開発エンジニアとしての力不足を顧客に指摘されたこと。いろいろ失敗して経験して得たものの代償だと思っています。やりたくないけどやらないといけないことを期限付きの目標にしたときが一番効果的だと思います。私の例だと、Java のようなプログラミングは楽しいので目標に設定しなくても勉強を楽しく続けられるのですが、Linux のような楽しくないけど学ぶべきものは期限付きの目標とすることで嫌でも勉強する環境を作ります。

（新卒男性社員T）

1つ達成しました。残りもオンスケジュールで推進中です。複数の目標を計画的に達成するためには、自分自身をマネジメントすることが必要です。そのためには期限の設定は不可欠なので、効果は高いと思います。

（中途入社男性社員S）

18期上期は全て達成しました。18期下期はＨＴＭＬ資格取得、自社勉強会成果物の提出の2つの目標に現在取組中。その他3つは達成済みです。期限付きであることによって業務やプライベートを言い訳にせず、期限までに学習時間を確保するように意識することができるので効果的だと思います。

（新卒女性社員T）

Q：最初に感動大学を受講したとき、どのような感想を持ちましたか？

A：外部の高額なセミナーを無料で受講できていると感動するほど、クォリティが高く非常に勉強になりました。

（中途入社男性社員M）

学ぶ意欲のある人たちだけが集まるという印象です。学生の授業は学びたくない人も同じ空間で授業を受けるので、そのやる気の無さが個人的に苦手でした。しかし感動大学は学ぶ意志のある人が集まっている空間なので楽しいです。

（新卒男性社員T）

グループディスカッション形式で課題解決するものが楽しかったです。様々な視点で意見が飛び交いましたので、視野が少し広がったと思います。

（中途入社男性社員S）

現場で使用していない技術も実践的に学ぶことができ、かつ自社の社員同士交流ができる良い制度だと思いました。現場でSQLを使う前から講座を受講できて、後に現場業務で役立ちました。

（新卒女性社員T）

Q：感動大学で特に印象に残っている講座はどのような内容のものですか？

A：7つの習慣です。講師の、人を惹きつけるトークと内容が、過去に学習した7つの習慣を根底から塗り替えるほど印象に残り、今でも講義内容を思い出しては実践しています。

データベース設計に関する講座です。内容は基本的なデータベース設計のやり方を解説するものでした。特に印象に残っている理由は、この講座を受けたからこそ知ることができた情報があったからです。普段の業務で使わない、自分の関心がないことは、自分から学ぼうとしないためその情報が入ってくる機会がほとんどありません。今回のデータベース設計はそのときの私にとって、学ぶべきことだが興味はないものでした。しかし「誰かが教えてくれたらいいなあ」という思いはあったので、そのときの私にとってとても価値がありました。

（中途入社男性社員M）

「脳科学を活用した記憶術」です。どのように対象を認識すれば記憶に残りやすいかを学びました。

（新卒男性社員T）

（中途入社男性社員S）

Ｊａｖａ実践の５回シリーズの講座が印象に残っています。実際に現場でＪａｖａを使用していましたが、業務中には意識していなかった視点からソースを見て考えることができました。

（新卒女性社員Ｔ）

Q：最初に技術勉強会に参加したとき、どのような感想を持ちましたか？

A： ＣＣＮＡ勉強会ですが、同じ社員が一生懸命準備し、ボランティアで講義を行なう姿に感動しました。

（中途入社男性社員Ｍ）

率直に実践で役立つ勉強会だと思いました。ハンズオンによる学習がメインでしたので理解しやすかったです。

未経験の自分には難しいのではないかと不安でしたが、講師の方々が常に参加者全員を気にかけてくれて、業務都合で参加できなかった際には補講を開いていただけました。手厚いサポートがあり、ありがたいと感じました。

（中途入社男性社員Ｓ）

（新卒女性社員Ｔ）

Ｑ：最初にＢＯＬＤａｙに参加して、どのような感想を持ちましたか？

Ａ：初めてのＢＯＬＤａｙは、（引っ越し前の）一ツ木ビルの小さな会議室に30名ほど集まったものでした。ビジネスマナー研修として、電話応対や名刺交換などのロールプレイングを行なった後、同じ会議室で懇親会。あの頃のＢＯＬＤａｙを知っている人は、近年の大規模なＢＯＬＤａｙを想像できなかったと思います。

（中途入社男性社員M）

社員が一堂に会するBOLDay。普段会えない社員同士の交流が、一体感や結束力を高めます。これが、ボールドの大きな強みであることは言うまでもありません。

「楽しい」の一言です。それぞれの現場で働いているエンジニアが月1で一カ所に集まって交流を深めることは、普段は一定の人としか関わらない自分からしたらとても楽しいイベントです。新卒で一緒に入社した同期と定期的に顔を合わせることができる良い機会でもあるのでとても楽しいです。SESを事業とする会社だからこその、良いイベントだと思います。

（新卒男性社員T）

経営の現況報告だけでなく、講師を招いたグループワークの実施や部活動紹介など様々なコンテンツが用意されていたので、社員同士でコミュニケーションをとることができて本当に楽しかったです。

（中途入社男性社員S）

全社員が会社の情報を共有し、資格取得者表彰や社長の言葉で「自分も頑張ろう！」と再認識できる良い機会になっています。懇親会では社員同士気軽に交流ができて、部活動の勧誘も盛んでとっても楽しかったです。

（新卒女性社員T）

Q：現在、部活は何に参加していますか？そこでの活動はどのような感じですか？

A：ボーリング部の在籍日数が多く、仲間同士で競い合ったり、協力したり、とても活気のある良い部活動でした。この部活動があったからこそ、ボーリング大会が過去2回開催され、社員同士の交流を深めるきっかけになったと思います。

（中途入社男性社員M）

バスケットボール部に参加しています。バスケが純粋に好きな人が集まっているので、毎回全力で楽しんでいます。社会人が全力でバスケするととても疲れるので、運動不足解消にはもってこいです（笑）。好きなことを夢中で楽しめる場というのもあって、普段働いている環境が異なる人たちでも仲良くなれる良い空間だと私は思っています。実際バスケ部は皆仲良しな印象です！

（新卒男性社員T）

カラオケやアカペラに参加しています。活動後は懇親会にも参加します。休日は部活動をして過ごすことが増えてきましたが、好きな事に打ち込むことはもちろんのこと、懇親会での話題はＩＴのテクニカルな話にまで発展することもあり、参加メンバーと親睦を深めながら、様々な話題で共感、共有できるのは本当に楽しいです。こうした交流は心身ともにスッキリするので、悩み事があって思考がネガティブになりそうな際には、積極的に部活動に励むようにしています。

（中途入社男性社員S）

年代も性別もまちまちな社員が参加する部活動。こうした活動も社員の結束を強め、風通しを良くしています。

新卒1年目でサバイバルゲーム部を創りました。勧誘していくうちに徐々に人が集まって、コミュニティが広がっていくのが楽しいです。人が増えると運営するのも大変になっていきますが、参加者全員が楽しむことができる部活動を目指してこれからも盛り上げていきたいです。

（新卒女性社員T）

Q：澤田社長の言葉、コーチの言葉などで特に印象に残っているのはどういったものですか？

A：澤田社長が常に力説する「SES業界を変える」です。実現すると本気で思っていますし、実現させたいとも本気で思っています。そのために必要な人間力・感動Shipも同じくらい印象に残っています。また評価は他人がするものという言葉もとても印象に残り、常に周りから評価されていると意識しながら行動する事ができるようになりました。

（中途入社男性社員M）

「同世代の理系出身に勝ちたいなら、〝今から〟全力で努力しろ」。これは私が大学4年生の7月に頂いた言葉です。未経験からエンジニアに挑戦するという中で、エンジニアとして圧倒的に成長していきたいのなら、入社してからではなく今（大学4年7月当時）から全力で努力していく必要があると言われたのは、2年経った今でもハッキリ覚えています。エンジニアとしてこれからも挑戦・努力をし続けようと思えるのは、これまでの2年間の土台があったからであり、その始まりは澤田社長との面接でしたので、ボールドを自分のエンジニアのスタート地点として選べたことに感謝しております。

（新卒男性社員T）

社長の「自分たちで会社をつくる」という言葉は印象深いです。社員一人ひとりの意見に耳を傾けて頂き、良い意見は社内制度にまで反映してもらえるのは、本当にモチベーションが高くなります。

（中途入社男性社員S）

「努力した者にしかチャンスは巡ってこない」という言葉がとても印象に残っています。プログラミング未経験で学生時代にITの勉強をしていなかったので、このままだと自分にチャンスは巡ってこないと思いました。それから気持

ちを切り替えて新卒研修を頑張ったおかげで、プログラミング未経験にも関わらず希望通り開発の現場に配属されたのでチャンスをいただけたと思います。

（新卒女性社員T）

あとがき

この本を手にとっていただきました皆様、ありがとうございました。私がこれまで働いてきた中で気付いたこと、そして現在経営しているボールドという会社のことをご紹介させていただきましたが、どのような感想をお持ちになりましたでしょうか。

綺麗事に聞こえるかもしれませんが、私は皆様に幸せになってほしいと願っています。幸せになるためには、特別な才能は必要ありません。期限付きの目標を定めて、人並み以上の努力をすること。私はそういった努力を惜しまなかった人をきちんと評価したいという思いを強く持って、ボールドを経営しています。そのために具体的な評価、そして相対評価ではなく絶対評価を導入しています。頑張った人には、頑張った分だけ評価をしたい。他人からまったく評価されないまま頑張ることができる人は、おそらくいないでしょう。評価されるから、それが励みになってより一層頑張れるものです。ボールドではそういった頑張る人を必ず評価しています。

ＩＴ業界は、求職者にとって売り手市場が続いています。しかし新型コロナ禍のように、1年前には予測もできなかったようなことが起こっています。そうした時代の変化に合わせて、この業界も変化が求められるようになるでしょう。

本書でも紹介していますが、これまで一生定年まで現役のエンジニアとして働くことができる人は多くいませんでした。それではいけない、このままではＩＴ業界に希望を持って入ってくる人がいなくなる。常にそういった危惧が私にはありました。ボールドでは一生定年まで現役のエンジニアとして働くことができるように、様々な取り組みをしています。しかしボールドだけでなく、多くの企業が当たり前のように、そういったことをやる。そういう状況になって、初めてＩＴ業界は夢のある業界になるのだと思います。

業界全体のスタンダードが変わり、日本の多くのエンジニアが定年まで活躍できるのが当たり前の日が来るまで、感動大学、技術勉強会、コーチ制度などを全て強化し続けます。

2021年5月

株式会社ボールド
代表取締役　澤田　敏

●著者プロフィール
澤田 敏（さわだ・さとし）
株式会社ボールド 代表取締役
1967年10月大阪生まれ
1989年株式会社クイック入社
・求人情報誌（中途・新卒）各種印刷物、パンフレット、DM等の営業で活躍。
・同社営業達成率　全国1位　3回など。
1994年個人事業として営業代行・コンサルティング業
・店舗などのイベント関連、スクール情報誌、求人誌、各種広告代理業。
1998年個人事業としてSE・PG・ネットワークエンジニアの派遣業創業。
2003年株式会社ボールド設立　代表取締役就任
・一生定年まで現役エンジニアとして働き続けることのできる会社を創り、社員がたくさん評価され、やる気になる制度を次々に構築中。

変革
IT業界に革命を起こすボールドの秘密

2021年6月10日　初版第1刷発行

著　　者／澤田　敏
発 行 者／赤井　仁
発 行 所／ゴマブックス株式会社
〒153-0064
東京都目黒区下目黒一丁目8番地1号
アルコタワー7階
印刷・製本／日本ハイコム株式会社
執筆・編集協力／有限会社 羅針盤

ISBN978-4-8149-2247-5